LIALA

LIALA

Signorsì

SONZOGNO

ISBN 88-454-2093-0

© 1977 Gruppo Editoriale Fabbri, Bompiani, Sonzogno, Etas S.p.A.
© 1993/ 2001 RCS Libri S.p.A.
(già RCS Libri & Grandi Opere)
Via Mecenate, 91 Milano

IV edizione "Supplemento Tascabili" maggio 2005

PROLOGO

Furio di Villafranca aveva appena accesa una sigaretta quando l'amico Mino Sant'Elmo avvertí:

— Il comandante!

Il guardiamarina lasciò cadere la sigaretta nell'acqua e s'irrigidí sull'attenti.

Il comandante passò, sparí.

I due giovani riappoggiarono le braccia al parapetto e ripresero a parlare.

La corazzata, immobile, silenziosa, assonnita, si lasciava baciare tutta da un gran sole di luglio. Furio era di guardia e Sant'Elmo gli faceva compagnia.

— M'annoio — ripeté per la decima volta Villafranca.

— M'annoio — fece eco Mino.

L'Italia viveva il suo ultimo anno di guerra e da poco tempo l'Accademia navale di Livorno aveva lanciato sulle navi grige i nuovi marinai. Il giovane duca Furio di Villafranca e di Monleone, uscendo dall'Accademia, aveva sperato di arrivare in tempo a fare qualche cosa di buono, di bello, di grande.

Il giubbino corto, il breve spadino erano spariti, e la forte, slanciata figura del giovanetto s'era chiusa nella divisa del guardiamarina. Un gallone d'oro sfolgorava sulle maniche della giubba, un gallone d'oro luccicava sopra la visiera del berretto.

La bella uniforme d'ufficiale c'era, finalmente, ma a che cosa serviva se la nave rimaneva inoperosa?

Furio si mosse e Mino, l'inseparabile compagno d'Accademia, lo seguí.

Su, giú, su, giú, nel sole, nel caldo che saliva dalla coverta, nel barbaglio che veniva dal mare. Attorno una gran quiete. Su, giú, su, giú, fino alla stanchezza, fino all'esasperazione.

— Se io penso che altre navi, che altri marinai combattono vincono o muoiono, mi dispero. Ma fino a quando ci terranno qui?

— Non ne so nulla, — rispose Mino — so che di questa vita non ne posso piú.

Un possente canto di motori arrestò l'annoiato andare dei giovani. Guardarono in alto, cercarono nell'azzurro.

— Una squadriglia di idrovolanti, vedi? Laggiú, oltre la Palmaria.

— Vedo — sospirò Furio — beati loro!

Nove apparecchi d'argento passarono alti sulla nave, virarono, s'abbassarono, ripresero quota, empirono l'aria di rombi, s'allontanarono; il rombo si fece canto, il canto diventò mormorio: il triangolo lontano, lontano, parve per un attimo galleggiare silenzioso nell'aria, poi spari, travolto dalla lontananza, dal cielo e dal mare.

— Non si vedono piú — mormorò Furio. — Vanno chi sa dove; torneranno, se torneranno, chi sa quando. Deve pur essere bella la vita dei nostri compagni! Noi qui, nel limitato spazio d'una grande nave, loro lassú, padroni dei cieli; noi quaggiú, in attesa d'un'ora che non verrà forse mai, essi in piena guerra, fieri di battaglie combattute. Ah, se potessi...

— ... se potessi? — continuò Mino.

— Se potessi volare!

— Anche tu? — proruppe Sant'Elmo — anche tu hai pensato a questo?

— Non so dirti da quando!

— Domandiamo il passaggio? C'è richiesta di piloti, siamo forti, giovani, sani, ci prenderanno.

— Credi? Credi?

— Ne sono certo.

— E allora addio, mare! Ti vedrò dall'alto! Addio, « Pisa », mia corazzata troppo piccola per i miei grandi sogni, ti saluterò di lassú! Il cielo sarà tutto nostro, Sant'Elmo!

Mino vide che gli occhi bruni e frangiati dell'amico erano pieni di luce; una luce tanto viva che pareva fatta di pianto. Furio s'accorse che i sereni occhi azzurri di Sant'Elmo si velavano: per nascondere quel loro giovanissimo pianto guardarono il cielo, poi, quando la loro commozione parve domata, ripresero a camminare su e giú; ma questa volta, senza ricordare piú che l'ufficiale di guardia non può fumare,

Furio accese una sigaretta, infilò il braccio in quello di Mino e insieme continuarono a battere la coverta di quella nave che si preparavano a lasciare senza rimpianto.

Quando l'aquila, padrona delle proprie ali, s'appresta al primo volo, non pensa al nido che sta per abbandonare, ma si lancia con ebbrezza nello spazio, nel sereno, sicura di trovare piú avanti o piú in alto un altro nido, dove potrà riposare le stanche ali.

* * *

La domanda dei giovani fu accolta, e poco tempo dopo qualche cosa, poca cosa, si mutava nella loro uniforme: il marinaio diventava aquilotto, la giubba bianca si apriva, una cravatta s'annodava, una corona sulle spalle cedeva il posto a una piccola ancora alata. Piccolo, il cambiamento nella bianca divisa, ma di quanto si mutava la vita!

Un breve corso, qualche volo con doppio comando, e finalmente il primo volo, soli!

Quel giorno l'istruttore disse a Villafranca:

— Decolli, passi sopra quel pontone laggiú, ammari e flottando torni allo scivolo. Intesi?

Furio partí, decollò regolarmente, passò sopra il pontone ma non ammarò. L'acqua sfilava sotto di lui a una velocità vertiginosa, il vento sciamava sotto le ali, sibilava nei tiranti. Ebbro, palpitante, felice, l'aquilotto giovanissimo tirò a sé la leva e l'apparecchio s'alzò. Su, aggrappandosi al sereno, cercando un orizzonte sempre piú ampio, lasciando sprofondare sempre piú, sempre piú, acqua, case, monti.

— Andrò agli arresti — pensò Furio — ma prima di scendere voglio provare qualche emozione.

Un tuffo improvviso gli diede l'impressione che l'aria mancasse sotto le ali. Provò una contrazione al diaframma, una desolante sensazione di vuoto.

Le mani ferme, i piedi pronti alla manovra, Furio attese tranquillo, e l'apparecchio docile riprese la linea di volo.

Guardò l'altimetro: il risucchio discendente gli aveva fatto fare un tuffo di venti metri.

— Per essere il primo, non c'è male, posso scendere.

Iniziò la manovra di discesa, preparandosi con fredda serenità a far *piastrella*. Ma l'apparecchio sfiorò l'acqua, la toccò deciso e flottò veloce verso la riva.

L'istruttore tentò un rimprovero, non gli riuscí, mormorò un rude e lieto — bene, bene —, poi chiamò Sant'Elmo:

— A lei: via!

Quando anche questo aquilotto ritornò sulla terra, si buttò nelle braccia dell'amico che l'attendeva trepidando:

— Sono felice — mormorò.

— Sono felice — ripeté Furio.

Ma la loro felicità ebbe presto una prima nube: la partenza di Mino per Taranto.

Le due aquile che avevano spiccato il primo volo

dallo stesso nido si lasciarono con tanta tristezza, ma sicure del loro fraterno affetto perché le infinite strade del cielo non dividono i cuori.

La malinconia dei primi giorni fu presto vinta dalla nuova esistenza attiva, fatta di gioie e di pericoli. Furio di Villafranca si rivelò subito un pilota di gran classe: la vittoria italiana lo trovò giovanissimo, ma uomo fatto e con una stellina d'argento in campo azzurro che gli brillava sul petto protetta dalle ali aperte dell'aquila d'oro. L'ombra terribile dell'apparecchio abbattuto che precipitava rimase per qualche tempo negli occhi del pilota, poi svaní, scacciata dal sereno di tutti i cieli e dal sorriso di tutte le donne.

— Donne, donne! Quante ne hai create, buon Dio! — pensava Furio un giorno, passeggiando per via Chiodo.

La Spezia, bella città di sogno e d'amore, viveva malinconicamente i primi anni del dopoguerra. La Vittoria non aveva ancora portato la pace tra gli uomini e nell'Arsenale i vecchi caccia gloriosi dormivano forse sognando le belle battaglie degli anni 1915-1918.

Furio camminava pensoso e il suo sguardo si posava senza troppa attenzione, su le donne che incontrava. Ma nessuna donna aveva il potere di accendere la sua attenzione, ché o le caviglie troppo grosse, o i fianchi troppo sporgenti, o la volgarità d'un abito o d'un atteggiamento, lo indispettivano e lo irritavano.

Una donna alta e bionda, gli guizzò di lato, lo sorpassò: egli vide la figura alta e ben fatta, l'abito elegante, l'incedere signorile. Affrettò il passo, fu di lato alla donna, la guardò. Ella non era né giovane né bella: e nel volto, il trucco male stemperato, rivelava un desiderio d'apparire fresca, mentre la freschezza della donna era tramontata da un pezzo.

Scontento, il giovane rallentò nuovamente il suo andare. Trasse un gran sospiro, si disse:

« Ma non potrò mai trovare la donna che sogno? Dovrò rinunciare al mio ideale? E quale è poi, l'ideale di donna al quale il mio cuore anela? »

Subito, come se nell'aria si dipingesse l'imagine desiata, egli vide apparire la donna dei suoi sogni: bionda e fine, bella e dolce, con un viso d'angelo e un corpo d'amore.

« Oimè! » — pensò ancora — « Io cerco quello che sulla terra non c'è... »

Si strinse nelle spalle, mormorò:

— Pazienza...

E andò, sorridendo, verso un collega che attraversava la via e si dirigeva al mare.

***

Donne e voli, amori e acrobazie, furono per qualche tempo la vita di Furio. Conobbe fanciulle alle quali non mancavano che le ali per essere oche, attrici celebri, signore credute oneste. Il bel nome che il pilota portava attirava quasi quanto la bellezza del giovane maschio. Alto, aitante e pure slanciato, Furio vestiva con disinvolta eleganza l'uniforme grigio-azzurra e la bella faccia a tratti s'illuminava d'un sorriso che era il piú bel sorriso del mondo. Possedeva dunque, quest'uomo che aveva in sé il fascino del cielo sfidato, tutti i requisiti necessari per far crollare le piú salde fortezze. Ma pur buttandosi a capofitto fra zazzere bionde o brune non ebbe mai il cuore scalfitto e benché giovanissimo uscí, qualche volta, da una nuova avventura con i sensi sazi e un profondo disgusto. A Lisi Çerise, la internazionale stella del Varietà, che minacciava d'uccidersi perché non le era fedele, rispose:

— Cara, — e la pacata voce arrotondava graziosamente l'erre — cara: se vuoi morire, accomodati, ma non sarà la tua morte che mi renderà fedele.

Cosí, dopo quindici giorni terminò questo amore, che gli era sembrato eterno e che lo lasciò con i nervi stanchi e un gran bisogno di vita pura.

Domandò una breve licenza, l'ottenne, e partí subito per il castello di Villafranca, dove l'attendeva la piú santa, la piú amorosa, la piú bionda delle mamme.

Aura di Villafranca, dopo aver trepidato per l'unico figlio allorché questi era passato fra le aquile, viveva ora dei suoi voli.

Furio era stato da lei indirizzato alla carriera militare, vincendo le ire del marito, Momo di Villafranca, che pretendeva fare del figlio un compassato e inutile frequentatore di tutti i salotti aristocratici. Ma

Aura, che, giovanissima, aveva saputo domare la folle e assurda gelosia del marito, seppe ancora una volta imporsi:

— Nostro figlio sarà soldato: voglio che la sua vita abbia una disciplina e un senso del dovere, non voglio che viva per inseguire le donne, come tuo padre, e per allevare cavalli, come fai tu.

E Momo, come sempre, aveva ascoltata la moglie, riprendendo però le proteste e le recriminazioni quando il giovane chiese il permesso di volare.

Anche il cuore materno, allora, ebbe un attimo di smarrimento, ma la passione del figlio vinse tutte le paure, e il suo entusiasmo travolse tutte le incertezze.

Capitando dunque all'improvviso e per breve licenza al castello dei Villafranca, Furio venne accolto dal padre con queste parole:

— Ti fermerai qualche... anno?

— Anno? Tre giorni, papà!

— Voli, sempre voli! — brontolò il duca Momo.

— Cavalli, sempre cavalli! — beffò poco rispettosamente il giovane.

— Ma questi non vanno per i cieli! — tentò Momo.

— Lo so: vanno nei fossi, e fanno rompere l'osso del collo piú degli aeroplani.

— Tu scherzi, Furio, e non distingui un balzano da tre da una mula.

— Come tu non distingui un aeroplano da una nottola.

Aura sorrideva e dava ragione al figlio. Con lui aveva provato le prime emozioni del volo, con lui, a poco a poco, aveva imparato, stando lassú, a guardare attorno; gli ammaraggi non la spaventavano piú e la velocità la divertiva. L'anima appassionata che ella aveva data al figlio mutava la sua anima stessa, facendo di lei una coraggiosa volatrice, una madre serena, fiduciosa, tranquilla. Con Furio parlava di voli e di acrobazie, e per quel figlio viveva ore di trepidante orgoglio.

I tre giorni di licenza passarono veloci e il giovane ripartí con i nervi ritemprati, il cuore sgombro, e un folle desiderio di cielo. Ritornò nella placida La Spezia, fra apparecchi e avieri, visse ancora fra rombar di motori e sussurrar di voci femminili, si prodigò ancora nei cieli e nelle alcove.

Volare e amare pareva lo scopo della sua vita, ma se i voli erano l'orgoglio e la passione, l'amore era un gesto, necessario complemento alla sua vita attiva, febbrile, fattiva. Il cuore taceva sempre e nessuna donna riusciva a interessarlo piú di una notte.

— Possibile — si chiedeva qualche volta — che la grande passione per me non debba arrivare mai?

E ascoltava gli amici parlar d'amore, ne vedeva qualche volta le sofferenze, e non capiva perché si dovesse soffrire per quell'ingannevole e inutile ginnastica che è l'amore.

PARTE PRIMA

In quel pomeriggio d'estate i 500 cavalli di Furio s'imbizzirono improvvisamente, il motore ridusse il rabbioso canto, brontolò, tacque, l'elica si mise in croce e il giovane ammarò in un lago modesto, senza pretese, fatto un po' a zig-zag, ricco di canne e di ninfee, regno tranquillo di placide anitre da richiamo. Dovendo pernottare nella sconosciuta cittadina, decise di rifugiarsi in un cinematografo e passarvi la serata. Nella poltrona accanto alla sua si agitava, irrequieta, una giovanissima signora. La pellicola era allegra e la signora rideva a gola spiegata e cosí giocondamente che le sue risate diventavano contagiose. La signora anziana che le stava vicina di tanto in tanto la richiamava ammonendola come si ammonisce una bimba: — Lery, sta ferma, Lery non ridere forte, Lery calmati. — Ma la risata gioconda travolgeva il blando rimbrotto. Furio guardava la vicina. Elegantissima, sottile, con brevi ricci fulvi, aveva grandi occhi intelligenti, vivi, color grafite, sapientemente truccati e sfumati di verde pastello. Bocca grande, ma bella, denti abbagliandi e mani stupende.

C'era nelle sue vesti, negli occhi, nei movimenti qualche cosa di festoso e di gaio che attraeva. Furio non ricordava d'aver incontrato una donna simile e la paragonava a quelle crisaure fosforescenti che nelle notti buie trascinano sull'acqua scura la grande, molle chioma lucente. Durante un intervallo, Furio si accorse che la vicina lo guardava con curiosità, e che anche gli sguardi di molti spettatori si posavano su di lui con interesse e simpatia.

— Sta a vedere che questi provinciali mi improvvisano una dimostrazione! Appena buio infilo la porta.

Ma gli occhi truccati di verde lo inchiodarono sulla poltrona. Perché lo guardava cosí? Tanto provinciale anche lei? Ma la signora parlò:

— Non sa che è proibito fumare?

— Scusi — mormorò Furio, confuso, schiacciando la sigaretta col piede.

— Oh, non per me, io fumo certamente piú di lei, ma non qui. Lei è di passaggio, vero?

— Sí: un'avaria al motore.

Buio di nuovo: nel buio due mani s'incontrarono, timorosa quella dell'uomo, tranquilla e sicura quella della donna. E il discorso, cominciato ad alta voce, continuò sommesso:

— Fino a quando rimarrete qui?

— Avrò pronto l'apparecchio fra due giorni. Verrete domani con me? Faremo una gita in automobile; guido bene, non temete. Andremo dove mi direte voi, volete?

— Farò l'impossibile per scappare — promise Lery.

Bastò certo il possibile perché alle quindici si trovò puntualmente al posto stabilito. Furio aveva noleggiata una bella macchina ed era al volante.

— Ho abolito il meccanico, vi spiace?

— Avete fatto bene.

— Siete deliziosa con questo abito primaverile.

Lery indossava un abito di foggia ardita, ricamato a fiori che dal basso salivano a fasci ad avvolgere la personcina guizzante. Ogni particolare, dal cappello alle scarpine, dal parasole alla borsetta, era di eleganza squisita e tutto in lei era chiaro e gaio.

— Siete bella — disse Furio guardandola con ammirazione.

— Non sono bella, sono io.

— Avete ragione, *essere io* è meglio che essere belli.

— Voi siete bello, perfettamente bello, caro duca.

— Come sapete?

— Il giornale locale: « Il famoso asso duca Furio di Villafranca e di Monleone è fra noi per un'avaria al motore ». Vi faccio grazia del resto, avvertendovi però che domani avrete la visita delle autorità.

— Scherzate? Parto in auto, piuttosto.

— È quello che stiamo facendo.

— Con voi partirei anche a piedi, bella Lery. Lery e poi? Come vi chiamate, signora?

— Lery Poli, o se preferite, Lery Serena.

La macchina improvvisamente fermata arrischiò una capriola:

— Voi?! Voi, Serena, la scrittrice? Cosí giovane!

— Stupíto?

— Felice.

— Grazie, ma ditemi dove andiamo.

— Non so,. fatemi voi da guida.

— Lassú, allora. Dopo la curva incomincia la salita. Nessuno vi ha parlato mai di Pian delle Rose?

— Pian delle Rose? Aspettate... ne parlate voi, nel vostro libro: « Pian delle Rose fasciato di silenzio e di profumo, accarezzato dal vento dei monti, ammicca al piccolo specchio del lago ». Ricordo, ma non ritrovo la scrittrice in voi. È cosí dolce, cosí umano e doloroso quel vostro libro che l'ho creduto scritto da una donna provata da molte delusioni.

— E chi vi dice che io non abbia sofferto?

— Tutto: il vostro sorriso, la vostra gaiezza, quel non so cosa che è in voi...

— Per inquadrarmi nel mio libro dovrei essere placida, rassegnata e un po' antiquata. Ma no! Se lo stile è l'uomo, la trama non è lo scrittore. È assurdo credere che l'autore debba sempre e unicamente vivere *nei* suoi libri. Qualche volta può vivere *dei* suoi libri, ma la cosa è ben diversa e soprattutto rara. Mi capite? E ora affrontate quella tremenda salita. Bravo! Oh, l'albergo è chiuso.

— Lo faremo aprire — disse Furio arrestando la macchina davanti al monumentale cancello dell'albergo « Pian delle Rose ».

Un signore alto, elegante, apparve sulla veranda, scese la scalea di destra e fu presso l'automobile ferma.

— Spiacente, signori, ma l'albergo è chiuso.

— Ma lei come c'è entrato? — chiese Lery.

— Io sono il direttore, e volevo dire che l'albergo non è ancora aperto al pubblico, che non funziona. Mi spiego?

— Benissimo, e me ne spiace. Volevo passare una sera qui, per mostrare al comandante Villafranca questi bei luoghi. Se non si può, pazienza!

La faccia del complicatissimo direttore, dopo aver cambiato due o tre espressioni, s'era fermata a quella lietamente stupita.

— Ma io metto l'albergo a loro disposizione, se s'accontentano del servizio ridotto. Mancherà l'acqua calda...

— Di questa stagione non è necessaria — assicurò Lery.

— ... non c'è ghiaccio, non c'è...

— Ne faremo a meno — ribatté per troncare Lery. — Dunque, possiamo scendere? Un panino imbottito ce lo darete? E una camera verso il lago?

— Sí, signora: la precedo per dare ordini alla cameriera.

Con un salto sorpassò la scalea e sparí.

— Be', che fate lí, immobile, duca?

— Credo d'essermi addormentato e d'aver sognato.

— Vi autorizzo a credere realtà il vostro sogno. Scendete? Anzi no, portate la macchina in rimessa, andremo a piedi fino al famoso « Pian delle Rose » e ritorneremo per l'ora del panino imbottito.

La notte passò veloce e l'alba trovò Furio sbalordito e felice.

— Io non finirò mai di benedire quell'avaria al motore.

Lery, curva su Furio supino, gli accarezzava i capelli biondi, e sotto la carezza il giovane socchiudeva gli occhi, beato e per la prima volta deliziosamente stanco e pur non sazio.

Si lasciarono senza sapere quando si sarebbero rivisti.

Ma arrivando a La Spezia, Furio trovò un telegramma di Lery che diceva: « Ti raggiungo, arrivederci a domani sera ».

Lery prese alloggio al « Croce di Malta ». Disponendo febbrilmente le piccole cose inutili, necessarie a una donna elegante, Lery parlava mentre Furio la stava a guardare.

— Quando, da Pian delle Rose, vidi l'apparecchio allontanarsi, mi parve di morire. Volli tornare súbito a Venezia ma non ne ebbi il coraggio; salii invece sul treno di Genova, ed eccomi qui.

— Lery, io ti ringrazio, ma sono in ansia per te. E tuo marito?

— Hai paura?

Il giovane ebbe un guizzo, ma si calmò súbito, e rispose:

— Se temere per te vuol dire aver paura, io ho paura.

— Non pensare, non ci sono pericoli per me. Amami, Furio; non ti chiedo altro.

Bella, sensuale, appassionata, intelligentissima, Lery affascinò Furio, ma travolta dalla propria passione a poco a poco diventò la classica innamorata, con le sue gelosie, con i suoi piagnistei, i suoi timori, le sue esigenze.

— Accompagnami in città — propose una sera a Furio.

— Piccola mia, potrei avere delle noie. Già si sussurra che vivo, perdona la parola, con un'amante. Un ufficiale non deve ostentare la sua donna.

— Ma io non sono una donna qualunque.

— Ed è appunto questo il guaio maggiore. Qualcuno t'ha vista, riconosciuta. So di colleghi miei che desiderano esserti presentati. C'è un bellissimo tenente di vascello che mi annoia per avere un tuo autografo.

— Presentamelo; mi spiace gironzolare sola. Forse non avrà i tuoi scrupoli.

— Può darsi: non è in peccato, lui.

— Me lo presenti?

— Se tu vuoi.

— Non sei geloso?

Furio pensò un momento, quasi interrogasse sé stesso, poi rispose, sincero:

— No.

— Non mi ami.

— Ti amo, Lery, ti amo tanto.

— Allora rimani con me stanotte.

— Non posso; domattina alle cinque, lo sai, devo mettermi in volo per Trieste con un nuovo velocissimo apparecchio. Ho bisogno di riposo.

— Ritornerai?

— Fra due giorni.

— E io?

— Mi aspetterai.

Pianti, gemiti, preghiere, convulsioni. Furio, disorientato, cercò di calmare la donna, ma, visto inutile ogni tentativo, promise.

— Rimarrò tutta la notte, Lery, sei contenta?

Lacrime, convulsioni sparirono; e la donna, felice, s'accoccolò fra le braccia di Furio, e vi rimase fino a quando il golfo cominciò a perdere le grandi ombre notturne.

— Che ora è? — chiese il giovane con voce roca per le troppe sigarette fumate e il molto *champagne* bevuto.

— Le quattro — rispose Lery, pallida ma ben sveglia.

— Bisogna che ti lasci, amore.

— Ancora un momento — implorò la donna; — solo un momento, te ne supplico.

— No, no, Lery, non farmi commettere sciocchezze.

Balzò dal letto e si tuffò nel bagno freddo, che lo lasciò intontito come prima. Quando fu vestito si chinò a baciare Lery e questa gli si aggrappò al collo e gli sussurrò qualche cosa all'orecchio. Furio si staccò vivamente da lei e con voce dura disse:

— No, è un capriccio il tuo, un cattivo capriccio. Sono stanco e in ritardo. Arrivederci domani. — E se ne andò.

Quando fu su, nel bel cielo de La Spezia, si accorse che le mani gli tremavano un poco.

— Amore e nicotina — disse fra sé; e all'improvviso gli sfolgorò nel cuore il ricordo della mamma. Rammentò che un giorno, alla vigilia di un lungo volo, sua madre gli aveva imposto di coricarsi presto, sebbene un'ora passata in compagnia del figlio significasse per lei una grande gioia.

Lery, invece, l'aveva follemente amato, l'aveva fatto bere e fumare e ciò a poche ore da una prova pericolosa ch'essa non ignorava.

— Ma perché vuoi finirmi cosí? — le aveva chiesto a un certo momento.

— Perché cosí sono sicura che potrai stare due giorni senza amore.

S'accorse a un tratto che gli occhi gli si chiudevano; pensò alla mamma, odiò Lery, e coi nervi tesi ascoltò il rombo del motore.

Quando giunse a destinazione ebbe la gradita sorpresa di trovarsi di fronte a Sant'Elmo, giunto in volo da Sesto Calende con un colossale apparecchio. Dopo un fraterno abbraccio, i due amici, che la carriera aveva separato, si guardarono in viso.

— Mi sembri stanco — osservò Sant'Elmo.

— Lo sono infatti, e ho un gran male di capo.

— Riposati.

Parve a Furio che nella voce dell'amico ci fosse un'intonazione ironica e ribatté:

— Non è il volo che mi ha stancato, ma la notte d'amore che ho passato.

— Bravissimo, continua cosí e ti faremo presto la corona. Eppure non sei l'uomo delle sciocchezze, tu.

— Me le hanno fatte fare.

— Non conosco la tua amica, ma posso assicurarti che non ti ama, o che al posto del cervello ha un paio di giarrettiere!

— Sbagli, è una donna intelligentissima.

— Allora non ti vuol bene o non ha cuore. E per le acrobazie come farai? Lo sai che il generale vuol vederle con quell'apparecchio?

— Me lo ha comunicato poco fa. Speriamo bene.

Mino Sant'Elmo era il ragazzo piú allegro del mondo, ma divenne a un tratto triste e buio. Amava il compagno e capiva perfettamente che in quello stato non poteva cimentarsi in acrobazie e con un apparecchio di quel genere.

— Posso sostituirti? Tutto il mondo sa quale formidabile pilota sei; tu non perdi nulla e io mi metto in evidenza presso il generale.

Furio, commosso, tese la mano all'amico e rispose:

— Grazie, Mino, ma non è possibile. Il generale vuole le acrobazie da me.

Il giovane generale, infatti, s'avvicinò a Villafranca e domandò:

— Siamo in vena di acrobazie?

— Sí, Eccellenza — fu la risposta tranquilla. — Subito?

Mino, ch'era rimasto rigido sull'attenti, fece un passo avanti e salutò militarmente.

Il generale tese la mano anche a lui:

— Lei è dappertutto, Sant'Elmo.

— Sono giunto stamane con un nuovissimo apparecchio, riparto domani all'alba e...

— Dica, dica — incoraggiò sorridendo il superiore.

— ... vorrei chiederle, Eccellenza, il permesso d'eseguire qualche acrobazia con l'apparecchio di Villafranca.

— Ma volentieri, caro Sant'Elmo! Che c'è? Villafranca non è contento? Avrà tempo, via! La sua vita non è un'acrobazia sola?

E affabilmente gli batté sulla spalla. Forse credeva invidia ciò che era umiliazione dolorosa.

Mino Sant'Elmo s'allontanò di corsa e poco dopo, sul velocissimo apparecchio d'argento, disegnava nel cielo cerchi e capriole. Il generale lo seguiva con occhio attento e soddisfatto. Gli piaceva quell'entusiasmo che animava i suoi giovani piloti, gli piacevano quelle gare di bravura e quel desiderio di audacia. Furio, immobile, seguiva col cuore stretto le capriole dell'amico.

— Che ne dice, Villafranca? — chiese il generale.

— È meraviglioso!

— Degno amico suo, dunque!

— Grazie — disse Furio, ma ebbe un attimo di smarrimento pensando che Mino lassú arrischiava la vita per lui.

— Scendi, scendi — implorava il cuore. — Scendi, basta, basta!

Finalmente Mino ammarò. Furio gli corse incontro e lo abbracciò. E, mentre il generale contento osservava i due amici, Sant'Elmo sussurrava:

— Ho la tua promessa, Furio: non più sciocchezze!

— Hai la mia parola.

Furio si presentò al superiore chiedendogli se a sua volta dovesse volare, ma questi, che era un giovane uomo di gran cuore, rispose:

— No, vada dove vuole col suo amico. Dovete aver tante cose da dirvi, voi due! Andate, andate.

Se ne andarono tenendosi a braccetto e si diressero verso la città. Presero due camere comunicanti e spalancarono la porta di comunicazione.

A notte alta Furio si svegliò e s'accorse che Mino vegliava ancora.

— Non hai sonno, Mino?

— Scrivo; disturbo? Devo chiudere?

— Niente affatto: ho dormito finora.

— Ne avevi bisogno.

— Scrivi un romanzo? — chiese ancora Furio.

— Scrivo una lettera d'amore.

— Alla fidanzata?

— No, a una donna che ha marito.

— Anche tu? — fu la stupita domanda di Furio.

— Che significa questo « anche tu »? — domandò Mino entrando nella camera di Furio.

— Non mi sembra difficile capirlo.

— Io ho però un'attenuante. È stata lei che mi è venuta incontro. Non potevo lasciare il mantello nelle sue mani, perché era maggio, e, per quanto si possa essere casti, in quel mese non si porta mantello. E tu?

— Io? Mi sono trovato con lei in alto.

— L'hai portata in volo?

— No, in alto, a Pian delle Rose. Conosci?

— In cartolina. Dunque?

— Dunque, un incontro fortuito, una gita, una notte d'amore in un albergo. L'indomani ripartii in volo. Dopo ventiquattro ore essa mi raggiungeva col treno e da dieci giorni è a La Spezia.

— E il marito?

— Cosa vuoi che ne sappia io del marito? Se esiste deve essere un indifferente o un rassegnato o un cieco: cieco per troppo amore, forse.

— E tu?

— Credo d'aver avuto anch'io un istante di cecità completa, e fu quando mi illusi d'aver finalmente trovato la donna che cercavo, la donna buona, semplice, intelligente.

— Delusione completa?

— Delusione proprio, no, ma un principio di stanchezza.

— E vi conoscete da pochi giorni!

— Colpa sua: come le altre, come tutte, piange, lacera fazzoletti, esige giuramenti di fedeltà. E quando mi devo allontanare fa anche lei come il borghese prudente che prima di abbandonare il revolver in un cassetto gli toglie le munizioni.

— E ti manda in volo stanco e incretinito. Ma non lo sa, quella donna, che volare non è giocare? La mia piccola invece...

— Esiste davvero il marito della tua piccola?

— Esiste e non è mio amico. Caso strano, vero?

— E sa?

— No, diamine, non sa! È un bell'uomo intelligente, colto, ricco, buono.

— Perché s'è meritato le corna, allora?

— Non le ha meritate: siamo stati noi i cattivi, io soprattutto che sono entrato di contrabbando in una casa onesta e tranquilla, o forse la maggior colpevole è stata la giovinezza di Clara. Essa ha ora ventidue anni e suo marito ne ha quarantacinque.

— È molto bella?

— Uno splendore! Ha gli occhi grandi e dolci, la pelle chiara come il suo nome, e capelli lunghi, neri e morbidi come velluto.

— Una donna con i capelli lunghi! Ho un desiderio pazzo di trecce sciolte, di lunghi riccioli, di una donna ammantata nella serica veste datale dalla natura! E dove abita questa tua deliziosa amica dalle lunghe trecce?

— A Milano; per questo non mi lamento di essere confinato a Sesto Calende.

— T'auguro ogni felicità, Mino.

— Anch'io a te, Furio, ma temo che tu sii male imbarcato con quella tua sirena della quale non so neppure il colore delle chiome.

— Fulve. Devo fartene il ritratto? Ha un viso bianco e luminoso, ma che sa di peccato per gli occhi dipinti e la bocca sensualissima. Corpo snello, guizzante, seni piccoli e fermi, mani regali, risata argentina. Intelligente, colta, celebre.

— Celebre? Artista?

— Scrittrice. Lery Serena.

— Lery Serena?

— Sì, la conosci?

— Le fui presentato a Venezia quando corsi la Coppa Miraglia. Ci affascinò tutti. Complimenti, Furio!

— Ha veramente marito?

— Quando la conobbi era sola, ma se ti ha detto d'averlo, l'avrà: perché lo dovrebbe inventare?

— Ci sono tante cose di lei che non capisco.

— Non indagare mai nella vita di una donna. Accettala per quella che dice di essere e dalle il nome che dice di avere. Ricordi Diana d'Arco, quella cantante celebre o quasi? Quando le offrii una cena si offese: — Lei sbaglia — dichiarò: — il mio nome non le dice abbastanza? Mi chiamo Diana come la piú pura delle dee e d'Arco come la piú casta delle donzelle. — Io rimasi confuso, ma poche ore dopo la casta dea e pura donzella espresse il desiderio di contare le stelle dal balcone della mia camera, ma pioveva, le stelle non c'erano; chiudemmo i vetri perché s'era d'inverno e, dopo, contammo dal letto le file di perle che formavano il paralume della lampada appesa al soffitto. Ricordo che ne mancava una.

— Io sono nauseato, sono giovane e mi sembra d'aver provato tutto. Forse perché tutto si ripete con disperata monotonia.

— Sposati!

— Mi sposerò, ma quando avrò trovato la donna che sogno. E tu non prendi moglie?

— Io ho Clara... e... Clara ha una bimba che si chiama Elma come la mia povera nonna.

— È tua?

— Sì.

— Sei felice, allora!

— Felice? Sono disperato! Ah, non l'auguro a nessuno un tormento simile al mio! Ma pensa, Furio, pensa!... Ho una bimba mia, che ha i miei stessi occhi, la mia bocca, che è nata dal mio amore, e devo considerarla un'estranea, devo lasciarle portare un nome che non è il mio, devo permettere che chiami papà un altro che non è suo padre, ma che l'adora e vive del sorriso di quella mia bambina. Io la vedo raramente, di nascosto, e l'altro l'ha sempre con sé, ha su di lei ogni diritto e può far tutto per lei... Cosa posso fare io per la mia bimba? Posso volerle bene, posso soffrire, posso anche piangere, ma non l'avrò mai per me, non potrò mai dirle: — Io sono il tuo papà, tu sei la mia piccina.

Appoggiò la testa sul guanciale di Furio e pianse. Furio sorpreso e commosso posò una mano sulla testa dell'amico e gli accarezzò i capelli come avrebbe fatto con un bimbo:

— Posso fare qualche cosa per te, Mino?

— Non c'è nulla da fare. Ho rubato, devo espiare.

— Ma non potrebbe chiedere il divorzio, la tua Clara?

— Dovrebbe confessare la sua colpa ed è una colpa troppo grave per essere confessata. E poi, perché togliere la bimba a quel povero uomo? Egli l'adora! Potrei ucciderlo dopo averlo tradito? Si può essere colpevoli, ma non canaglie.

— E allora?

— Allora ci amiamo da lontano e qualche volta da vicino. Clara, piú fortunata di me, ha la piccina. Io sono solo, soffro, mi dispero e non posso maledire che me stesso. Ti do un consiglio, Furio: non prendere mai la donna di un altro. Anche se t'innamori, anche se ti pare di non poter vivere senza quella donna, soffri, ma salvati. Non dovrai nascondere nella tasca segreta del portafogli la fotografia della tua bambina. To', guardala.

Una bimba di forse tre anni sorrise a Furio e gli sventagliò sotto agli occhi la gloria dei suoi capelli chiari.

— Bella bimba! — esclamò Furio — ti comprendo, povero Mino.

— Mi rassomiglia, vero?

— Sì, ha i tuoi occhi e il tuo sorriso allegro.

— Perdona lo sfogo. Ne avevo proprio bisogno. Se tu mi fossi sempre vicino, forse patirei meno.

— Chi sa che qualche prova audace non ci trovi allo stesso campo! — mormorò Furio.

— Me lo auguro: ma la tua amica?

— Lery? Non so ancora cosa vorrà fare di me quella pupattola capricciosa.

— In guardia, Furio! Quella non è una donna per te. Le donne degli aviatori devono saper comandare al loro cuore e frenare i loro sensi. Ma tu devi riposare.

Tese la mano all'amico e concluse ridendo:

— Ricorda che le donne e il diavolo fanno la stessa strada e chi le segue, senza accorgersene, passo passo si trova all'inferno. Ora dormi.

— Grazie, Mino, per la lezione di oggi... e per quella di stasera. Preziose tutt'e due.

L'indomani, prima di salire nei loro apparecchi, i due amici si abbracciarono. Nel cielo i due idrovolanti volarono per qualche tempo affiancati, poi si allontanarono, uno di qua uno di là, e sparirono.

Furio trovò Lery a letto, pallida, sfatta, piangente:

— Amor mio, che è accaduto?

— Se tu mi lasci ancora sola, io muoio.

— Ma come posso fare, Lery? Fra me e te c'è il mio dovere di soldato, lo sai, lo sapevi.

— I tuoi voli mi fanno tremare. Io non voglio, io non posso soffrire cosí!

Scoppiò in pianto convulso.

Il giovane non sapeva né che dire, né che fare per calmarla. Le accarezzò i capelli, gli occhi, le mani, chiamandola con piccoli nomi di dolcezza.

— Furio, non volare piú — ripeteva con monotono lamento Lery.

— Tu scherzi!

— Scherzo?! Ti amo!

— Amami e lasciami volare; il volo è la mia passione.

— Vorrei essere io la tua passione!

— Ti amo, ti desidero, non ho altra donna, che cosa vuoi di piú?

— Non ti voglio perdere, ho paura, Furio! Basta voli, basta acrobazie, via questo uccello maledetto!

Tentò strappare dal petto del giovane l'aquila di

oro che con le ali spiegate vigilava la stella d'argento in campo azzurro.

Furio indietreggiò vivamente e sulla bianca palma una gocciolina di sangue colò da un leggero graffio.

— Quella bestiaccia di malaugurio mi ha ferita; buttala via!

La mano cercò di tornare all'attacco: ma il pallore di Furio arrestò il gesto. Lery, spaventata, mormorò:

— Furio...

— Se un uomo avesse solamente detto ciò che tu hai fatto l'avrei strozzato. Tu sei una donna, ringrazia Dio e vattene, tutto è finito fra noi. Non piangere, non pregare, non minacciare, è inutile. Offendendo questo trofeo che è il mio orgoglio, hai distrutto per sempre quell'amore che nasceva. Per te ho dovuto rinunciare alla gioia di volare alla presenza del mio generale, per te ho messo in pericolo la vita del mio piú caro amico... È finita, Lery!

La donna gli si buttò sul petto singhiozzando, il giovane la scostò, la guardò, scosse il capo, l'abbandonò sui guanciali, e uscì.

Due ore dopo Lery lasciava La Spezia.

L'indomani Furio scrisse a Sant'Elmo: « Ho una breve licenza, cerca di ottenerla anche tu. La passeremo nel castello di Villafranca. Mia madre sarà felice. Rispondi ». Mino rispose telegraficamente: «Attendo te a Milano, Hôtel Continental ». Furio passò un giorno al castello, poi andò a Milano dove trovò Mino gaio ed esultante come non l'aveva visto mai.

— Che avviene?

— Il marito di Clara è partito per il Congo.

— Non ti fidare dei mariti che partono.

— E di questo non devo fidarmi? Leggi.

Sventolò un telegramma davanti agli occhi dell'amico, che lo lesse e lo restituí ridendo:

— Non sapevo che quel povero uomo avesse anche dei poliziotti alle costole.

— Non è per me — si scusò Mino — è per Clara. Ma non sciupare la mia gioia! Pensa! Avrò Clara vicina ed Elma tutta mia per dieci giorni!

— Attento con la bimba, i bimbi parlano.

— Sarò prudente. Immagini la nostra felicità?

— L'immagino, ma non capisco perché tu mi abbia chiamato a Milano.

— Perché ho bisogno di te. Ascoltami: Clara con la bimba è partita poco fa per Varese. Quando il marito parte, essa va sempre con la piccola a fare qualche gita. Cosí vuole *lui* perché teme che durante le sue assenze le *bimbe* si annoino. Anche noi partiamo per raggiungerle e mentre io passeggio con Clara tu sostituirai la mamma e farai giocare la piccina.

— Io?

— Ti domando troppo, vero?

— No, figurati, io adoro i bambini, ma la piccola vorrà stare con me?

— Ma sí! Un balocco, un dolce...

— Va bene, farò provvista di bambole.

— Le piacciono anche le navi e gli aeroplani...

— È naturale, l'ha nel sangue. Vado a caricarmi come la Befana. A che ora si parte?

— Quando Clara telefonerà da Varese. Ai balocchi penso io! Rimani tu ad attendere la telefonata, io vado a prendere la macchina. L'ho appena comprata, è bella, comoda e mi porterà chi sa dove con la mia Clara.

— Scommetto che è una guida interna.

— Come lo sai?

— Non è difficile indovinarlo quando si sa che servirà a due innamorati. Io, che non ho donne, possiedo una macchina da corsa, scoperta, e, naturalmente, senza tende da abbassare.

— Sei senza donne? E la bella scrittrice?

— Partita, non ne so piú nulla.

— Non doveva essere un amore eterno?

— Cosa intendi tu per amore eterno?

— Prima d'incontrare Clara i miei amori eterni duravano tre mesi.

— Il mio, esattamente quindici giorni.

— Hai una bella opinione dell'eternità!

Furio raccontò come e perché il suo amore fosse finito. Mino approvò e concluse:

— Clara, prima di baciare me, bacia sempre l'aquila.

— Quanti trofei consumi in un anno?

— Pochi, purtroppo. Allora attendi qui la telefonata, io vado e torno.

Poco dopo uno squillo di campanello chiamò Furio al telefono:

— Pronto? Sí, Sant'Elmo partirà subito. Chi sono io? Sono... — pensò un poco, rispose: — Io sono la bambinaia — e sorridendo appese il ricevitore.

Mino rientrò con la stessa grazia d'una ventata impetuosa.

— Ha telefonato?

— Sí, ti attende prima di sera.

— Come ti sei presentato?

— Col mio titolo di bambinaia.

— Andiamo? — propose Mino impaziente.

— E i balocchi per la bambina?

— La macchina è piena.

— Andiamo, dunque.

Prima di uscire dalla camera, Mino chiese all'amico:

— Mi spiace che tu sii solo. Non hai una bambola di almeno vent'anni che ti possa aiutare a ingannare il tempo?

— Non mi annoierò, vedrai. Elma mi distrarrà.

— Ma Elma ha quattro anni.

— Fortunatamente! Ne avesse venti, non avrei accettato di farle compagnia. Esco da un'avventura che mi ha lasciato materialmente e moralmente stanco: ho bisogno di riposare.

— Riposa dunque, in attesa della donna che sogni. Temo però che occorrerà ordinarla su misura.

Mino infilò a tutta velocità la bella autostrada che da Milano, correndo fra prati e boschi, porta a Varese. Piana, levigata, diritta, permetteva una pazza corsa senza scosse.

— Bella strada — osservò Furio — pare d'essere in volo.

— Ecco il lago di Varese — osservò Mino accennando al piccolo delizioso lago d'innamorati. — Guarda, c'è un apparecchio in volo, un « M. 18 » che viene, forse, dal mio campo.

Clara aveva scelto per il suo soggiorno uno di quegli alberghi issati sulla cima di un monte e che visti dal basso sembrano attaccati al cielo. Mino lanciò la macchina e poco dopo la fermava davanti all'albergo, solitario, maestoso, elegante, ritto in mezzo a boschi, vigilato da rocce, profumato da tutti i fiori di prato, rallegrato da tutti i canti di fronde. I due giovani ebbero al secondo piano due camere attigue e comunicanti, e come al solito spalancarono la porta interna.

Clara con la bimba aveva un appartamento al primo piano. Poca gente, una gran pace, un frusciare di pini accarezzati dal vento.

Quando Furio per la prima volta si trovò di fronte a Clara, rimase sorpreso. Era quella, dunque, la donna che Mino adorava? Piccola, sottile, il volto pallido come una magnolia, incorniciato da trecce nere e lucenti, Clara non possedeva la bellezza radiosa che piaceva a Furio. Ma ben presto egli comprese che tutta la bellezza di lei era in quei suoi occhioni neri, che invadevano il piccolo viso, in quella sua voce che scendeva ad accarezzare il cuore, dolce, morbida, senza scatti e senza dissonanze.

Elma era veramente la figlia di Mino. Aveva la stessa fronte, gli stessi grandi occhi azzurri, gli identici capelli d'oro scuro fortemente ondulati, la stessa bocca piccola piena di sorrisi.

Impetuosa, vivace, rumorosa, ubbidiva però sempre, senza bizze e senza piagnistei.

Diventò presto l'amica di Furio.

— Se tu vieni con me — le disse Furio — ti regalerò una bambola alta così.

— Mamma vuole che Elma vada con nessuno.

— Allora se mi aspetti qui ti porto la pupa.

— Ti aspetto, — rispose la bimba, e si accucciò sull'orlo d'un'aiuola. Quando vide nelle mani di Furio la bella bambola ricciuta balzò in piedi tendendo le braccia e gridando:

— Dammi!

— Voglio un bacio, prima!

— Mamma non vuole.

— Eccoti la bambola.

Era una grossa Lenci con gli occhi maliziosi, la bocca di lacca rossa e una parrucca d'oro; una di quelle belle pupe italiane, sogno delle bambine di tutto il mondo. Con le piccole mani grassocce Elma se la strinse al petto, poi la scostò, la guardò attentamente, chiese:

— Di' a Elma come si chiama la pupa.

— Elma — suggerì Furio.

— No, Elma è questa — protestò la piccola puntandosi l'indice al petto.

— Aspetta, si chiama... — Passarono nel cervello del giovane tanti nomi femminili. Nora, Lolette, Mimì, Lery, Annabel. Nessuno degno della pupattola. Pensò al nome di sua madre, Aura, ma c'era l'erre che Elma ancora non pronunciava. Finalmente un nome nacque sulle sue labbra:

— Beba, chiamala Beba.

— Beba — strillò la bimba.

— Ti piace?

— Sì.

— Dove sono andato a pescare questo nome, non so — pensò Furio — certo ha avuto successo!

Elma ebbe aeroplani, navi, bambole di ogni qualità e d'ogni grandezza, ma Beba rimase la preferita, la regina, la piú amata.

Qualche volta, quando mammina scendeva in città per compere e anche Mino s'allontanava, la bimba si aggrappava a Furio e gli diceva:

— Tiemmi stletta e non lascialmi cadele o mammina quando tolna ti picchia.

E mammina tornando con le mani cariche di doni per la sua piccola la trovava sempre con Furio nel giardino. Una volta non vedendo la figlia nei viali salí al secondo piano e bussò leggermente alla porta di Furio. Nessuno rispose: essa girò la maniglia, schiuse la porta, entrò. Elma e Furio dormivano sul letto scomposto. Furio sentí la presenza d'una persona nella camera, si destò di soprassalto e balzò dal letto. Indossava un pigiama azzurro a fiori d'argento che rivelava le forme di quel suo maschio corpo perfetto:

— Signora — sussurrò — sono mortificato di dovermi presentare cosí, ma Elma ha voluto farmi indossare l'abito *da principe* e io l'ho accontentata. Poi abbiamo combattuto contro i nemici, i guanciali, e come vede il campo di battaglia è ancora sconvolto. Abbiamo vinto e ci siamo addormentati sugli allori.

— Caro duca, io non so cosa potrò fare per lei, per ricambiare...

— Può fare qualche cosa: mi chiami Furio e lasci stare il duca. Vuol passare nella camera di Mino? Qui disturbiamo il sonno della piccola. Vada, signora, io mi vesto; non la farò attendere molto.

Indossò un elegante abito chiaro, profumò leggermente le mani e la cravatta e raggiunse Clara. La trovò intenta ad accomodare nei cassetti le molte cose che Mino vi aveva gettato alla rinfusa.

— Ma guardi! Le cravatte con le sigarette, le camice con le riviste. Anche lei sarà ordinato come Mino, imagino.

— No, signora, io sono ordinatissimo. Quando mia madre rimase senza la sua cameriera, scherzando mi chiese se volevo prendere provvisoriamente cura dei suoi vestiti.

— Davvero? Lei è un'eccezione, allora, perché anche mio marito...

S'interruppe, Furio gentilmente l'incoraggiò:

— Suo marito...

— Mio marito ha la manía di prepararsi la valigia. E per un breve viaggio sa che ci ficca dentro? Trenta fazzoletti, mezza dozzina di camice, quattro pigiama, ma nemmeno un colletto e neppure l'ombra di una calza. E protesta quando la cameriera toglie un po' di roba superflua per fare posto a quella necessaria, assicurando che noi donne non sappiamo preparare una valigia.

— Sbaglia, suo marito, perché le donne non dimenticano nulla, mentre gli uomini, anche i piú ordinati...

— Cosa ha lasciato lei a La Spezia?

— Io, nulla! Cioè, sí, una donna.

— Ma quella non poteva metterla nella valigia!

— Nella valigia, no: volendo, avrei potuto chiuderla nel cuore.

— Le ha voluto bene?

— Non me ne ha lasciato il tempo. Certo è l'unica donna che seppe darmi le vertigini, e per un aviatore è un fatto grave. Ma ora tutto è finito. E in questa faccenda mi hanno giovato i consigli di Mino. Non le ha detto nulla? Quella donna, pur sapendo che dovevo portare a Trieste un apparecchio nuovo e pieno d'insidie, pretese che passassi la notte vegliando. Mi ubriacò di baci e di vino e mi mandò in volo intontito come un gatto caduto da un quarto piano.

— Ma lei non doveva prestarsi al gioco di quella donna! — proruppe sdegnata Clara.

— Le ho detto, signora, che quella donna era riuscita a darmi il capogiro.

— Allora non le voleva bene, non l'amava nemmeno.

— È quello che le dissi al ritorno, dopo aver subíto la piú grande e meritata umiliazione, ed essa mi rispose che quanto aveva fatto le era stato suggerito dall'immenso amore.

— Ah! non lo posso capire, un simile amore, io che tremo sempre per Mino e vorrei fugare le nubi quando lui è in alto, perché mi sembra che anche l'urto di una nuvola potrebbe essergli fatale.

— E Mino conosce queste sue paure?

— Non gliele confesserò mai; mi parrebbe di portargli sventura.

— Deve vivere tranquilla, signora, in cielo non ci sono pericoli. Un mio amico, ardito pilota, pochi giorni fa, dopo essersi trovato a Milano impigliato con la sua auto fra tranvai, auto e carrozze, mi confessava: « Piuttosto di trovarmi ancora in un inferno simile volerò col piú scassato degli apparecchi. Per male che vada troverò sempre un prato o una vasca dove fermarmi e non mi vedrò schiacciato fra un tranvai e un'automobile o fracassato dentro la vetrina di un negozio. Mino, correndo a 90 all'ora con la sua guida interna, va incontro a mille pericoli; volando con un saggio aeroplano non ne corre alcuno. Manca la benzina o il motore s'arresta? Planando si arriva sempre a scoprire uno specchio di acqua o un prato che può servire da campo di fortuna.

— Mino dice le stesse cose — sospirò Clara — ma per chi rimane a terra ad attendere è ben diverso.

Se sapesse come trema il cuore! Non crede? Non capisce?

— Sí, credo e comprendo, ma non approvo. Io non amerò che una donna: quella che saprà sorridere vedendomi piroettare nello spazio e non piangerà se le dirò che devo tentare un volo pieno d'insidie o superare una prova difficile.

— Non la troverà mai, una donna cosí, o se la troverà non sarà certo un'innamorata.

— Ma no, signora. Se Mino le dicesse: vado in automobile fino a Milano, lei tremerebbe per lui?

— No!

— E allora perché tremare quando vola? È l'abitudine che manca, non la fiducia nell'aviazione. Se tornassero i nostri avi fuggirebbero davanti al treno e cadrebbero in deliquio vedendo un'automobile in corsa. Noi non abbiamo certo paura del treno e ce ne ridiamo dell'automobile, perché siamo abituati a vederli e a farne uso. I nostri figli andranno in aeroplano allegramente, e i figli dei nostri figli vorranno un velivolo autentico dalla Befana. Mia madre nei primi tempi soffriva; non me lo confessò mai, lo intuii. Allora chiesi e ottenni il permesso di portarla in volo con me. La portai sulle più belle città d'Italia e ammarai nei piú bei golfi. Volai con lei nella pioggia, nel vento, nel sole e con stelle. Dopo tre o quattro giorni aveva preso tale confidenza con l'apparecchio che pretendeva capriole e picchiate divertendosi come una bimba sull'altalena.

— Forse lei ha ragione — mormorò Clara.

— Ho ragione senza il forse.

Spalancando la porta Mino entrò nella camera.

— Ah, bravi! E io vi cercavo nel giardino!

— Parla sottovoce, Elma dorme.

— Ma dov'è? — chiese Mino stupito.

— Sul mio letto.

Ma Elma oramai era sveglia e chiamava:

— Fullio, Fullio plendi la cofetta e uccidi i nemici!

La cofetta era la forchetta e questo innocente utensile, chi sa perché, agli occhi di Elma diventava un'arma micidiale.

Furio accorse, si prese la piccola in collo e la portò dalla mamma.

— Andiamo, Elma.

Ubbidiente, Elma seguì la mamma, ma prima di uscire baciò la palma della manina, soffiò su questa e trillò:

— Stamattina vieni ancola, Fullio. — E, a passettini, se ne andò.

— Per me, niente — sospirò Mino.

— Tu hai la mamma — scherzò Furio.

— Per due giorni ancora, poi chi sa quando.

— L'hai voluta tu, questa situazione. Ora non ti lamentare; ama Clara perché è la mamma di Elma e lo merita.

— L'amo, l'amo, lo sai, lo vedi anche tu che ne subisci un po' le conseguenze. Ho abusato della tua amicizia.

— Non dire sciocchezze.

Venne anche l'ultimo giorno e fu molto triste. Mino, nervoso, irrequieto, non sapeva trovar pace e Clara lo guardava desolata.

Furio accarezzava le mani, i riccioli dorati di Elma e la bimba si faceva promettere tante cose:

— Quando vai in cielo col plano di' a Bambin Gesú che mi mandi una Beba nuova; questa ha il naso spolco.

— Sí, cara, ti farò mandare un'altra Beba piú alta e piú bella — assicurava Furio.

— Di' poi a zia Luna che venga giú e che polti le stelle.

Questo, Furio non lo poteva promettere, ma pensò che sarebbe stato pur bello poter offrir un panierino di stelle a quella cara bambina che negli occhi aveva tanto sereno.

Mino e Furio accompagnarono Clara fino alla macchina venuta da Milano per riprenderla.

Pallido, Sant'Elmo baciò la mano della sua donna, baciò con passione i riccioli di Elma e si allontanò.

— Lo raggiunga — sussurrò Clara a Furio che si attardava con la piccina.

— Sí, signora, stia tranquilla.

— E grazie, grazie!

— Grazie a lei che mi ha lasciato Elma, e mi ha fatto conoscere cosí ciò che di migliore c'è al mondo.

La macchina partí di corsa e Furio andò in cerca di Mino. Lo trovò affacciato alla finestra:

— Tra poco l'automobile si vedrà da quella curva.

Apparve infatti per un attimo e tornò a sparire.

— Ecco, non c'è piú — sospirò Mino.

— Be', se facessimo anche noi le valige? Qui non c'è piú nulla che ci trattenga.

— Hai ragione, andiamo. Dove?

— Giú a Varese, prima. Voglio vedere quei famosi apparecchi da turismo di cui mi hai parlato.

— E poi?

— E poi vagabonderemo per i laghi; abbiamo bisogno tutti e due di svagarci.

— Anche tu? — domandò Mino stupito.

— Anch'io. Elma riempiva le mie giornate. Certo sentirò per un pezzo la nostalgia di quella tua bambola viva.

— Fabbricatene una anche tu.

— Sí, ma quando avrò una donna mia, perché io non potrei tollerare che un Villafranca portasse un altro nome.

— È un rimprovero questo, Furio?

— No, è un convincimento. E ora, su, prepara la valigia, non dimenticare nulla, e partiamo.

Furio entrò nella sua camera e cominciò a riporre le proprie cose.

— Partiamo in borghese o in divisa? — domandò Mino affacciandosi sull'uscio.

— In divisa, in divisa, siamo piú belli. E poi, quando indosso l'abito borghese, anche se fatto dal piú abile sarto, ho sempre l'impressione di avere indosso panni altrui.

— Mi accade la stessa cosa, sai dirmi il perché?

— Perché amiamo la nostra uniforme e la portiamo da tanti anni.

— Deve essere cosí.

Dopo pochi minuti Mino avvertí:

— Io sono pronto, e tu?

— Eccomi — rispose Furio.

Entrò nella camera di Mino che s'accomodava la cravatta davanti al grande specchio dell'armadio; gli si avvicinò. Le due alte figure, chiuse nell'elegante divisa bianca, si riflettevano, e i due giovani si scambiarono un sorriso nel cristallo. Una lama di sole fece scintillare i galloni e l'aquila d'oro: era l'ultimo sole di tante giornate piene di felicità.

Mino lasciò il volante all'amico.

— Hai fatto tanto per me, fai anche questo. C'è, qui dentro, il profumo di Clara, mi fa male.

— Guido io, guido io, tu aspira il profumo e indicami la strada per andare al lago di Varese.

Alla Schiranna giunsero in pochi momenti.

Ammirarono un piccolo apparecchio da turismo che costava poco piú d'un'automobile comune, assai meno d'una di lusso e poteva offrire un'autonomia di volo di 6 ore a oltre 150 chilometri orari. Il gran balocco d'argento, che ad ali piegate poteva comodamente entrare in un carrozzone da trasporto, affascinò Furio che lo volle subito provare. E naturalmente Mino lo seguì in volo. Ne discesero entusiasti, Furio soprattutto, che da molto tempo accarezzava il sogno d'avere un apparecchio tutto suo.

— Volevo un'auto lussuosa, compero l'aeroplano e rinuncio alla macchina.

E cosí fece. Prima di lasciare la Schiranna volle

conoscere l'ingegnere che aveva costruito l'apparecchio e lasciandolo gli disse:

— Il viaggio di nozze lo farò col suo aeroplano. Contento? Verrò tra pochi giorni per portarmelo via. Poi cercherò la moglie.

E i due giovani se ne andarono a velocità pazza su quella macchina indiavolata che sembrava un castigo di Dio caduto fra gli uomini. Abituati alle grandi vie del cielo senza ostacoli, gli aviatori male si adattano a quelle della terra.

— Poiché abbiamo ancora le ossa intatte ti consiglio di rallentare, se vuoi vedere qualche cosa. Finora non abbiamo veduto che polvere e gente che si scansava.

— T'accontento — rispose Furio — anzi ti cedo il volante. Tu conosci questi luoghi e io no.

A velocità moderata la macchina costeggiò il lago.

— To', una bella ragazza — disse ad un tratto Mino — non ne avevo ancora viste.

— Tu pensa a Clara; le belle ragazze le guardo io — rimbeccò Furio ridendo. — Fermati.

E Mino fermò la macchina. Poco dopo la fanciulla ammirata passò rasente all'auto. Furio la guardò arditamente, quella sostenne lo sguardo e abbozzò un sorriso.

— Andando sempre avanti dove arriveremo? — chiese il giovane.

— Alla rete di confine e dovranno tornare indietro — rispose la fanciulla.

— E lei dove va?

— Io passeggio.

Era bruna, con occhi stupendi atrocemente sciupati dal bistro e anche il volto era volgarmente ed esageratamente dipinto.

— E loro dove vanno?

— Passeggiamo come lei. Vuole venire con noi?

— Volentieri. Avviso mammà che sta laggiú. Dove mi metto?

— Qui, prenda il mio posto, signorina, io starò dietro. Permette? Villafranca, Sant'Elmo.

— Frilli Devoto.

— Frilli? È un nome o un'invenzione?

— Un'invenzione mia; le piace?

— No — rispose Furio — i nomi non dobbiamo inventarli noi, dobbiamo aspettare che una persona cara li crei e ce li doni.

Ma Frilli non ascoltava, sporgeva la testa nera e levigata come il coperchio di un pianoforte e gridava:

— Mammà, mammà!

Da una finestra sporse un naso.

— Vado a fare un giro con questi signori, mammà, arrivederci!

— Va bene — rispose il naso.

E, tranquilla, chiusa nella macchina con due sconosciuti, Frilli se ne andò. Parlava, parlava e rideva con Mino. Furio l'osservava stupefatto. Ma non c'erano dunque piú fanciulle? O, se c'erano, quale educazione avevano avuto? E le mamme cosa facevano, non vedevano nulla?

— Perché non parlate, voi? — domandò Frilli a Furio.

— Venite qui, e vi dirò tante cose.

Senza por tempo in mezzo Frilli scavalcò il sedile e piombò accanto a Furio.

— Voi assomigliate a un aviatore celebre, proprio all'asso Villafranca: siete forse voi?

— No, è mio cugino: io non sono celebre, volo da pochi mesi — mentí il giovane.

— A me piacciono gli assi, se potessi conoscerne uno ne farei una passione.

— Peccato non essere quell'uno — sospirò comicamente Furio.

— Ma voi mi piacete ugualmente. Siete proprio bello.

— Ma ho moglie — e ancora sospirò e piú a lungo e comicamente della prima volta.

— Avete moglie? Cosí giovane? E bambini?

— Due — rispose Furio.

— E il vostro amico?

— Anche lui ammogliato; ha una bimba che è uno splendore.

Un'ombra passò sul viso di Frilli. Se ne accorse Furio che sorrise pensando:

— Eccone un'altra a caccia di marito.

— Venite a cena con noi? — propose Mino.

— Perché no? Ma non vorrei che le vostre mogli mi levassero gli occhi.

— Oh, le nostre mogli sono lontane — assicurò Furio.

— Allora andiamo.

Non aveva cappello, la bella Frilli, ma aveva una borsetta dalla quale trasse scatole e matite per cominciare un lavoro di ritocco al proprio viso. Furio osservava in silenzio.

— Si trucca vostra moglie? — domandò la ragazza, curiosa come tutte le fanciulle che parlano con un uomo ammogliato.

— Mia moglie non si trucca e posso baciarla senza pericolo per la pulizia del mio viso.

— Odiate il trucco, Sant'Elmo? — chiese Frilli a Mino mettendogli la bocca all'orecchio.

— No, mi attira anzi un volto leggermente truccato. Sa di peccato e i peccati piacciono a tutti.

— Vostra moglie si dipinge?

— Domandatelo a Villafranca; lui è bene informato.

Questi, tranquillo, rispose:

— Un poco, forse, le labbra. Ma gli occhi non hanno bisogno di trucco perché non potrebbero essere piú belli. E il volto è così bianco che un finto rosso lo offenderebbe.

Mino guardò l'amico e gli sorrise. Frilli agitava la mano in segno di saluto.

— C'è mia cugina, volete invitarla?

Sant'Elmo arrestò la macchina. S'avvicinò una ragazza che aveva un bel viso fresco, ma un corpo senza proporzioni. Seni grossi e sporgenti, anche da lottatrice, gambe da merlo. Aveva i capelli d'un biondo inverosimile, chiazzati di nero alla radice; indossava un aderente abito di velo nero posato sopra una stoffa rossa. Sembrava, cosí vestita, un pomodoro in gramaglie.

— Vieni con noi, Popò? Saremo appaiati. Bada, però, che hanno moglie.

Popò guardò i due giovani, sorrise languidamente e sospirò:

— Peccato!

— Ma ci mettiamo sempre a disposizione delle belle figliole disoccupate — assicurò Mino.

Furio pensò a Clara, a Elma. Mino intuí il pensiero dell'amico e prendendogli la mano gli sussurrò:

— Tu sai a chi penso, anche in questo momento.

L'automobile ripartí portandosi due coppie: Frilli con Furio, e Popò (che si chiamava forse Domenica) con Mino.

— Io propongo il Lago Maggiore — gridò Frilli.

— Accettato — rispose Furio.

— Conoscete Ranco? No? Allora, cena a Ranco.

— Che belle mani avete! — osservò poco dopo Frilli, accarezzando le dita di Furio.

— Avete cosce femminili — continuò passandogli una mano sulla coscia disegnata dai calzoni di tela bianca.

Furio lasciò fare: le carezze di quell'oca felice gli davano piú noia che piacere.

Chi erano quelle ragazze? Cosa volevano?

Frilli gli posò la testa sulla spalla, dichiarando:

— Come si riposa così!

Su quella testa, Furio posò piú per consuetudine

che per desiderio una guancia e allora Frilli sollevò la testa e offrì la bocca:

— Togliti quel rosso, prima — consigliò Furio. Docilmente, Frilli ubbidí. Mino volgendosi vide che i due, pur senza muoversi, avevano fatto molto cammino. Guardò di sfuggita Popò:

— Vedete la vostra cuginetta come si è affiatata col mio collega?

— Oh! Frilli adora i baci, soprattutto quelli degli aviatori.

— Ah! e voi?

— Io ho molti *flirts* (e pronunciò la parola inglese tal quale si scrive) ma degli uomini ammogliati non mi fido.

— E fate bene — approvò Mino, che temeva un assalto.

— Ecco Ranco — urlò Frilli, dandosi il rosso alle labbra, il turchino agli occhi, il nero alle ciglia e il rosa alle guance.

Ranco è un grazioso paese che pare sempre pronto a precipitare nel lago. Se alla chiesina venisse il capriccio di fare due passi, ruzzolerebbe dritta dritta nelle acque, che in quel punto sono assai profonde. Presso l'imbarcatoio, dove approdano pochi battelli, ci sono due alberghi, piú rustici che eleganti, ma pieni di frescura. Le coppie entrarono in quello di destra. Cenarono sul terrazzo. Frilli e Popò risero molto, fumarono assai, bevvero troppo. Popò di tanto in tanto piagnucolava:

— Ritorniamo, i miei saranno in pena, mi sgrideranno!

Ma Frilli rispondeva:

— Sanno che sei con me, non fare la scema.

Ma era quasi buio e Furio propose di ritornare. Frilli, che gli stava sulle ginocchia, gli buttò le braccia al collo, e mormorò:

— Se tu non avessi moglie mi sarei fermata qui con te. Peccato, mi piaci tanto.

Villafranca benedí la moglie che non aveva e si liberò dalle braccia della fanciulla.

A Porto Ceresio, e già davanti alla propria casa, Frilli volle l'ultimo bacio e disse l'ultima sciocchezza:

— Quando mi sposerò tradirò mio marito con te.

— Grazie, cara — rispose Furio con la sua bella voce, dove non trillavano erre — avvertimi in tempo.

Anche Popò, che era molto sentimentale e credeva timidezza il riserbo di Mino, volle dirgli la più bella frase sbocciata nel suo cervellino di coleottero:

— Se precipiterai, io piangerò per tutta la vita.

— Grazie, amore — rispose Mino, e ficcò una mano in tasca per accarezzare il maggiolino di pietra dura, talismano di parecchie generazioni.

Appena soli, Mino domandò all'amico:

— Dove andiamo a dormire?

— Dove vuoi tu, ma via di qui, altrimenti quelle ragazze domani ci bloccheranno. Se io non avessi inventato due mogli, dove saremmo finiti con quelle due sciocchine?

— A letto — rispose brutalmente Mino.

— Eppure sono ragazze per bene, che cercano marito. E sperano di trovarlo cosí, offrendosi al primo che passa, facendosi chiamare con nomignoli da cagnoline e mostrando ciò che una sgualdrina, almeno in istrada, nasconderebbe?

— È l'educazione moderna.

— Ma non è cosí che troveranno marito. Io...

— ...tu non troverai una donna come la sogni.

— Ma tu l'hai trovata!

— Sí, ma troppo tardi.

— La troverò anch'io, e in tempo, e allora, oh, allora sarò veramente felice! L'amo già, quell'ignota che mi attende, e mi pare già di affondare le mani nei suoi capelli lunghi...

— E se li ha corti?

— Lunghi, lunghi, tanti, morbidi, dovranno essere i capelli della mia sposa. Io non cerco un titolo, ne ho già io; non cerco denaro, ne ho! Cerco una donna che sia bella, sana, onesta, che ami la musica e adori l'aviazione, che non chiacchieri come quella Frilli e non sospiri come quella pupattola di Popò.

Dormirono nel magnifico albergo d'un bel paese del Lago Maggiore. Al mattino, aprendo la finestra, Furio esclamò sorpreso:

— Che c'è lassú? La statua della Libertà?

Mino guardò: dall'altra sponda, disegnato nel cielo, S. Carlo Borromeo con la grande mano sollevata benediva il suo lago.

A Varese i due amici si lasciarono: Mino ritornò a Sesto Calende, e Furio col suo piccolo apparecchio, docile come un uomo innamorato, a La Spezia, dove trovò l'ordine di partire per il Lago Maggiore.

Poche ore dopo i due amici, che si erano separati senza sapere quando si sarebbero rivisti, si abbracciavano all'ombra di due ali argentee che sembravano due braccia tese per accoglierli e proteggerli.

* * *

— Scrivi a Clara? — domandò Furio.

Come sempre, era spalancata la porta di comunicazione fra le due camere. Mino rispose dalla sua:

— Sí, e tu?

— Io scrivo a mamma.

Fruscio di carta, fumo di sigaretta, poi buio e silenzio. Ma Furio non dormiva. I suoi occhi seguivano nel buio il volteggiare d'un apparecchio che tagliava l'aria come freccia scoccata. Riaccese la luce, e Mino, subito, domandò:

— Che fai? Vuoi qualche cosa?

— No, annotavo calcoli.

— Quali?

— Sul « Folgore ». Se darà i 450 di media andremo da qui a La Spezia in venticinque minuti.

— ... e in un minuto da qui a Milano — concluse Mino.

— Cosí potrai vedere Clara almeno dodici volte il giorno.

Una gaia risata di là, poi di nuovo buio e silenzio.

I due giovani, vivendo l'uno accanto all'altro, si confidavano, Furio progetti e speranze, Mino pensieri e sogni. Calmo, impassibile, padrone di sé, Furio; nervoso, inquieto e irrequieto, Mino.

Qualche volta Villafranca rimproverava all'amico l'eccessiva dimestichezza col pericolo e un giorno ridendo gli disse:

— Una bella signora, una volta, dichiarò che a tutti i piloti manca una rotella. A te, devono mancarne parecchie. Ieri t'ho visto eseguire acrobazie con un « M. 18 » a cento metri d'altezza.

— Eppure è andata bene!

— Perché Dio, che certo ti guardava divertendosi, non volle perdere lo spettacolo e ti permise di continuare; ma se un giorno non avesse voglia di guardarti, lo sai cosa potrebbe accadere?

— Lo so — e la mano nella tasca accarezzò il maggiolino portafortuna.

— Allora, perché arrischi inutilmente la pelle? Io credo di non essermi risparmiato mai, ma tutto ciò che ho fatto è stato fatto con uno scopo. L'Italia ha bisogno di molte aquile.

— Se tu non avessi il mio stesso grado, credo che mi passeresti agli arresti.

— No, questo non avverrà mai. So che la mia promozione a capitano è prossima, ma io non sarò mai un superiore per te.

E fu cosí.

Quando Villafranca indossò la giubba con tre fiammanti bordi d'oro, Mino non entrò come di solito nella camera del compagno. Andò Furio da lui e Sant'Elmo vedendo l'amico s'alzò in piedi.

— Stupidone! — rise Villafranca. — Vieni qua. Non sarà un grado in piú quello che ci dividerà. Verrà anche per te.

— Per me? C'è tempo. Finora non ho fatto nulla né di bello né di buono. Tu hai delle vittorie, io, niente.

— Ma se mi aiuti ci sarà la vittoria anche per te, con il « Folgore ».

— Quando?

— Presto. Ma ora andiamo. La giornata è dedicata agli scolaretti; dobbiamo portarli in volo.

Mino sospirò.

— Che c'è? — chiese Villafranca.

— Penso alla mia piccina. Se potessi portarmela in alto, un giorno, e lassú dirle il mio vero nome! È terribile, questa vita.

— Ma è anche inutile soffrirne, ormai.

— Hai ragione, ma ogni bimbo che vedo mi fa pensare a lei.

— Oggi ne vedrai tanti. In ogni bimbo trova la tua bambola, e portandolo in alto illuditi di portare lei. Su, andiamo.

L'aeroporto formicolava già di tanti ometti in vestito di festa. Quando Furio apparve, si levò un coro di saluti; poi tutti gli si fecero intorno per vedere piú da vicino l'asso famoso. Sorridendo, il giovane domandò:

— Chi desidera volare, alzi la mano.

Ogni bimbo agitò una manina, qualcuno tutt'e due, sperando di prenotarsi cosí per due voli. Felice di quell'entusiasmo, Furio accarezzò i piú vicini.

Un ragazzo biondo come il Bambin Gesú gli

alzò in viso i grandi occhi azzurri e mettendogli una manina sul braccio pregò:

— Porti me, prima degli altri, perché io sono il primo della classe.

— Ah, sí? Ma i tuoi compagni saranno contenti?

— Sí, — risposero quelli in coro. — Lui ha avuto il premio... noi non ancora.

— Dunque, tu hai diritto alla precedenza

— Sicuro — confermò il bimbo.

— Hai ragione, andiamo. — Sollevò l'ometto e lo depose nello scafo.

— Avrai paura? — gli chiese prima di mettere in moto l'elica.

— No, no.

— Ci sarà molto rumore, non spaventarti. Non toccare la cinghia.

— Partiamo?

— Partiamo!

Il piccolo salutò con la mano i compagni che lo guardavano salire in alto. Furio guardò il bimbo, gli sorrise, lo accarezzò e sentí che non un bimbo egli portava in alto, ma una speranza di oggi, forza di domani.

L'apparecchio volava nell'azzurro, trascinato dall'astro lucente dell'elica; il fragore del motore segnava un ritmo, e il bimbo osservava ogni cosa con l'anima negli occhi.

— Be', cosa mi dici? — chiese Furio al piccolo

quando furono a terra. — Hai avuto paura? Vertigini?

— No, soltanto mi è spiaciuto quando ho visto che l'acqua s'avvicinava e ho compreso che il volo era finito.

— Bravo! Ti piacerebbe diventare aviatore?

— Certo, e lo diventerò.

— Ne hai già parlato a tuo papà?

— Papà è morto in guerra, ma la mamma è contenta ch'io diventi pilota.

— Brava mamma! — esclamò Furio. — To', piccolo!

Sfilò dalla giubba l'aquila d'oro e gliela porse. Poi, accarezzandogli le guance rosate, proseguí:

— Portala alla mamma, e dille che te l'appunti sul petto il giorno in cui volerai da solo per la prima volta.

— C'è tempo — sorrise un borghese che aveva assistito, ammirato, alla scenetta.

Volgendosi di scatto, il fanciullo rispose:

— Non molto, sa: dieci anni.

Infatti dieci anni non sono molti per chi si prepara a viverli con la certezza nel cuore di poter realizzare al loro termine un grande sogno.

Altri voli, tanti voli. I piloti si prodigarono, per portar lassú tutti i fanciulli, fino all'imbrunire. E quando i motori tacquero e le eliche parvero stendersi nel riposo, i fanciulli si misero in ordine di marcia. In poche ore essi erano diventati gli amici di quegli altri grandi fanciulli che sono i piloti, li chiamavano per nome, li salutavano con alte grida.

— Arrivederci, addio, grazie!

Quando furono presso l'uscita, si volsero e gridarono:

— Evviva l'asso Villafranca!

Furio rispose al saluto, poi rimase immobile, appoggiato all'apparecchio che sembrava triste perché inoperoso, finché i ragazzi sparirono.

E gli parve allora che un'azzurra visione, che l'aveva per tutto quel tempo tenuto come in un dolcissimo incanto, fosse scomparsa dagli occhi suoi e dal suo cuore. Mino s'era anch'egli allontanato, manifestando una fretta insolita.

Si mosse a raggiungerlo.

La giornata di sole, di giovinezza, di sorrisi, era finita. Gli apparecchi, traballando come grosse farfalle trascinate da formiche, pian piano ritornavano alle loro case.

* * *

Furio dormiva ancora quando Sant'Elmo entrò nella sua camera.

— Mio Dio! Mio Dio! — gridò, e si accasciò su una sedia.

Spaventato, Furio balzò dal letto e corse dall'amico.

— Cosa accade? Sei ferito?

— No, no.

— Si è ammazzato qualcuno?

— No, ah! è finita!

— Clara?

— Sí...

— Ma che c'è, parla, sei stupido, sai!

— Clara parte.

— Buon viaggio! — esclamò storditamente Furio, che aveva pensato a chi sa quali sciagure. Poi, guardando l'amico accasciato, tremante, capí la propria sbadataggine:

— Parte? Come lo sai?

— Un espresso. To', leggi.

Una desolata lettera di Clara gli annunciava la prossima partenza per il Congo, dove il marito si stabiliva per dirigere lunghi e importanti lavori. Nelle disperate parole della donna, Furio lesse lo strazio dell'amante, di quella materna amante che era Clara.

— Povero Mino! — mormorò Furio.

— Se ne va, per sempre, con Elma. Questo è il castigo, la punizione.

— Non è detto che tu non debba piú rivederle — confortò Furio; — quando avrai una licenza potrai raggiungerle.

— Lo farò certamente, se pure potrò farlo; ma che vita sarà quella di Clara e soprattutto la mia? E la mia bambina, quando potrò vederla? Se ne vanno, a me non resta piú nulla, quasi neppure la ragione di vivere.

Furio gli passò un braccio attorno alle spalle e, curvandosi sull'amico, disse:

— La vita di un ufficiale non deve essere troncata se una donna parte, non deve perdere il suo scopo se una bimba piccina s'allontana. Non ti sarà difficile rivederle di tanto in tanto, e per Clara è forse meglio cosí. Io, ora posso confessartelo, quando ti sapevo con lei non ero mai tranquillo. Temevo per te, per lei, per Elma. Per Elma soprattutto, povera piccola, che poteva essere travolta in uno scandalo o in una tragedia. Questo tuo dolore passerà, con un po' di pazienza. E la tua ferita rimarginerà, vedrai. Nessuna ferita si è mai sanata in un lampo. Si soffre da principio, poi a poco a poco non si soffre piú. È logico, è umano che sia cosí! E non sei solo, hai un amico.

— Grazie — mormorò Mino.

— E questo amico è tutto per te, perché senza amore. Nessuna donna è nella sua vita.

— Tu cerchi l'impossibile.

— Io? Cerco l'impossibile? Cerco una creatura sana di corpo e di cuore, che non rida se le dico che adoro i bimbi, detesto le danze, i capelli corti e la musica selvaggia. Voglio una donna che sia contenta di essere la mia donna e non si vesta per piacere agli altri. Sogno una fanciulla che non pensi alla corona ducale che le posso offrire, ma voglia bene a me, per me. Non la trovo, questa creatura, eppure ci deve essere.

— Io l'avevo trovata e l'ho perduta! — sospirò Mino, desolato.

— Ma io non cercherò fra le donne maritate, per soffrire come ora soffri tu.

— Vorrei salutare Elma, aiutami.

— Andremo a fare una gita in macchina con Clara e la bambina.

— Grazie!

— Mi terrò Elma, tu starai con Clara. Chi sa quante cose dovrai dirle!

— Cosa vuoi che le dica ormai? Dicono che la bocca parla quando il cuore è pieno; il mio è vuoto, non c'è piú nulla, nulla, solo lacrime.

E lacrime improvvise rotolarono dagli occhi di Mino, gli caddero sulle mani. Trasalí, sorpreso, vergognoso del proprio pianto e balzò in piedi:

— Perdona questo momento di debolezza, Furio.

— Ti perdono e ti capisco. Vorrei piangere anch'io per una bimba nata da me, e per una donna solamente e unicamente mia.

* * *

Scesero dall'automobile ed entrarono in un modesto albergo che si pavoneggiava specchiandosi in un lago piccino, cosí piccino che la facciata non poteva mirarvisi tutta. Era uno di quei laghi che la natura, correndo a portare qua e là bellezze e splendori, aveva lasciato cadere, forse sbadatamente, nel verde della Valganna deserta. Piccoli laghi pieni di brividi di estate, immobili, sotto il loro manto ghiacciato l'inverno. Furio con Elma s'avvicinò all'acqua tranquilla.

— Ho imparato a dire erre, senti?

— Brava! — rise Furio, nelle cui parole l'erre non poteva trillare.

— E tu, perché non dici erre? — domandò la piccina.

— Non posso, cara.

— Vergogna, lo dice Elma che è piccina.

— Ti voglio tanto bene, piccola, e devi perdonare l'erre che non c'è.

— Ma io parto, lo sai?

— Lo so. Ti spiace?

— No, perché papà mi ha preparato una casa nuova, un giardino grande e un cavallino vero.

— Vuoi bene al tuo papà?

— Tanto!

— E a Mino?

— Tanto, ma piú al mio papà.

— Meglio cosí — pensò Furio. — Lei almeno non soffre.

— E poi dove andremo ci saranno tanti *franchimbani* e io li mangerò tutti.

— Franchimbani? Cosa sono?

— Sono quei dolci neri con la cioccolata sopra e la crema dentro.

— Franchimbani si chiamano?

— Ma sí — ripeté la piccina spazientita. — Franchim-bani.

— Forse tu vuoi dire Africani! È cosí?

— Sí; ho sbagliato, Africani!

— Cara, gli Africani di laggiú non si possono mangiare.

— E io dico di sí, voglio sí!

— Va bene Elma, come vuoi tu! — e le accarezzò i bei riccioli, con tenerezza.

Clara e Mino li raggiunsero.

— Io non dimenticherò mai le ore di serenità che le devo — mormorò Clara, offrendo la mano a Furio.

— E io non dimenticherò mai la mamma di Elma — replicò il giovane. — Quando la sua piccina saprà tenere una matita fra le dita, mi faccia avere un suo scritto. Le ho voluto tanto bene!

Clara non seppe trattenere un singhiozzo, Elma guardò i due giovani. Furio le prese una manina e le disse, dolcemente, per distrarla:

— Mamma teme che papà non compri un cavallino anche a lei.

Subito il bel visetto si rischiarò e la piccola rise:

— Che mamma invidiosa! Papà darà un cavallo anche a te: glielo dirò io. Sei contenta? Non piangi piú?

La piccola mamma sorrise. E partí lasciando ai giovani il ricordo di quel suo viso tormentato e mascherato da un povero sorriso.

Qualche giorno dopo, Furio disse a Sant'Elmo:

— T'ho lasciato piangere, t'ho lasciato maledire il destino e il Congo, ho ascoltato le tue parole desolate, ho sofferto con te. Ora basta, Clara è lontana, tu sai che non puoi e non devi per lei rinunciare alla tua carriera, né in alcun modo comprometterla. Riprenditi, sii uomo, ritorna quello che eri prima. Ora ho bisogno io di te.

— Sei innamorato?

— Innamorato! Se non mi hai lasciato neppure il tempo di leggere i giornali, come potevo trovare il tempo di innamorarmi?

— Allora?

— Hai visto quel sottotenente un po' pretensioso, giunto qui da pochi giorni?

— Sí, che tipo è?

— Intelligente, ma fifone. Bisogna che tu mi aiuti a fargli passare la paura.

— Se ha paura è un aviatore sbagliato e non sarà mai un volatore in gamba.

— T'inganni, i meno audaci, dopo i primi voli, sono diventati audacissimi. Quello finora s'è limitato sempre a fare i voli regolamentari, per aver diritto all'indennità e nulla piú. Anzi, mi hanno assicurato che qualche volta in un sol giorno abbia fatto i quattro prescritti decollaggi e i quattro ammaraggi e si sia tolto cosí il cruccio del volo per quattro mesi.

— E cosa potrei fare?

— Lo inviti a fare un volo, in mia presenza, cosí non potrà rifiutarsi. In alto, poi, lo farai piroettare. O muore di paura o dà le dimissioni, o diventa un aviatore sul serio. Accetti?

— Con piacere. Non mi aspettavo un diversivo cosí attraente.

Il giorno dopo Mino, sulla linea di volo, parlava al giovane aviatore:

— Hai volato mai, tu, con un « M. 18 »?

— No.

— Dicono che le acrobazie con quell'apparecchio siano pericolose, è vero, capitano? — chiese Mino volgendosi a Furio.

— Infatti l'« M. 18 » non è adatto per le acrobazie, ma io ho fatto con esso cento capriole e a quanto sembra sono qui tutto intero.

— Dobbiamo provare anche noi? — domandò, al collega, Mino.

— Io non sono acrobata — balbettò il malcapitato.

— Ma lo è Sant'Elmo — intervenne Furio. — Andate, mi saprete dire il vostro giudizio su quell'idrovolante.

I due amici si scambiarono un'occhiata e un sorriso.

L'apparecchio flottò veloce, decollò con un balzo leggero e si profilò snello e lucente nell'azzurro del cielo.

— Dove va? — si domandò Villafranca, vedendo l'apparecchio lasciare il lago e puntare sulla città. Sul piano di scivolo un « S. 59 » attendeva paziente la sua ora di volo. Furio balzò nella carlinga e partí per seguire l'« M. 18 », che era sparito. Appena ebbe decollato lo vide luccicare e s'accorse che per eseguire le acrobazie quel pazzo Sant'Elmo aveva scelto un posto poco adatto: un camposanto. S'avventava contro le cappelle, scivolava d'ala, cabrava paurosamente e picchiava in modo spaventoso verso quella terra seminata di croci. Furio raggiunse l'apparecchio, gli fece torno torno larghi giri, e ritornò all'aeroporto. Raccontò subito ai colleghi la trovata di

Sant'Elmo. L'allegria, compagna fedele dei piloti, scoppiò, cosí rumorosa che Furio dovette intervenire.

— Calmatevi, ragazzi. Eccoli di ritorno.

Infatti l'« M. 18 » era apparso alto sul lago ed iniziava tranquillamente un'acrobatica discesa.

Poco alto sull'acqua Mino eseguí ancora due, tre capriole allegre, poi l'idrovolante ammarò.

— Come è andata? — chiese Furio al giovane sottotenente.

Questi lo guardò in viso e rispose:

— La lezione è andata bene, comandante.

Furio sorrise e gli strinse la mano, poi chiamò Mino in disparte.

— Tu non farai piú discese cosí « picchiate ».

— Volevo accertarmi che l'apparecchio resisteva.

— Simili accertamenti non si fanno. E poi un'altra volta scegliti un altro luogo per esibirti, e poi...

— Ancora?...

— E poi voglio dirti che se ho un rivale temibile nelle acrobazie, questo rivale sei proprio tu. Bravo!

— Grazie, lo devo a te.

Rientrarono; nella sala il giovane ufficiale raccontava:

— A un certo momento Sant'Elmo cominciò a piroettare. Non capivo piú nulla e non vedevo che cielo e croci, croci e cielo. Quando mi credevo ormai fracassato fra i tumuli ecco i miei occhi perdersi nel piú bell'azzurro.

— Allora — domandò Furio — non avrà piú paura delle vertigini?

— No, comandante, non avrò piú paura di nulla.
Un brindisi e gioconde risate festeggiarono quella nuova aquila che finalmente imparava a fare uso delle proprie vigorose ali.

* * *

Un violento temporale si scatenò nella notte. Furio, destandosi all'improvviso, balzò dal letto e passò nella camera dell'amico per chiudere la finestra che questi aveva lasciata aperta. Al rumore Mino fu desto.

— Che c'è?

— Nulla, ho chiuso i vetri perché entrava l'acqua.

A un tratto un fulmine spaccò il cielo e andò ad affogare nel lago. Contemporaneamente la luce elettrica si spense e tutto fu buio. Furio sedette sulla poltroncina accanto al letto dell'amico. Mino trovò sul marmo del comodino fiammiferi e sigarette e ne accese una.

— Fumi? — domandò l'amico.

— No.

— Non ti corichi?

— Taci, qualcuno piange.

— Dove? — si meravigliò Mino.

— Non posso capire.

In quell'istante furono battuti due timidi colpi alla porta.

— Chi è? — chiese Furio.

Nessuna risposta: un singhiozzo nel corridoio.

— È una donna: apro.

— Aspetta— consigliò Mino. — Non è prudente.

— C'è una donna che piange e vuoi lasciarla nel corridoio?

S'avvicinò all'uscio, l'aprí, e nelle braccia gli cadde un corpo morbido e sottile.

— Accendi un fiammifero, suona, chiama qualcuno — gridò Furio.

— No, no, per carità — supplicò una voce tremante — non chiamate nessuno.

Alla voce Furio trasalí.

— Accendi un fiammifero — ordinò all'amico.

La fiammella tremula illuminò un viso di donna.

— Lery — balbettò Furio.

Allentò la stretta e lasciò cadere la donna sul letto, accanto a Mino, che continuò ad accendere fiammiferi.

— Mi hai perdonato?

— No, come non perdono questa stupida commedia.

— Non è una commedia, è il caso. Ero qui di passaggio, t'ho visto, ho chiesto una camera attigua alla tua, per udire la tua voce, per essere felice pensando che tu riposavi accanto a me. Poi s'è scatenato quel furioso temporale, ho avuto paura.

— E sei venuta a cercare alloggio qui, dove dormono due giovanotti! La tua paura ti dà coraggio, devi convenire.

All'improvviso, come era andata, la luce tornò. I due amici, chiusi nel pigiama notturno si sentirono un po' a disagio trovandosi di fronte alla donna completamente vestita.

— Ma non eri a letto, tu?

— No — balbettò Lery.

— Che cosa facevi?

— Avevo accostata la mia seggiola alla porta di comunicazione con la tua stanza da bagno. Ho udito il sibilare della doccia, t'ho sentito canterellare... poi piú nulla. Sarei sparita domani senza farmi vedere se non fosse scoppiato questo...

— ... provvidenziale temporale. Ma ora è finito e puoi andare nella tua camera. Buona notte, anzi buon giorno, Lery!

— Furio, ti amo, ti amo ancora — pianse la donna cercando di abbracciare il giovane.

— Ma io non ti amo piú, e per colpa tua. Addio, dunque, piccola Lery.

Voltò le spalle, si ritirò nella sua camera, chiuse la porta, girò la chiave, si buttò sul letto e si addormentò. Lo svegliò, a sole alto, Mino che cantava allegramente; saltò giú dal letto e andò nella camera dell'amico:

— Come è finita con Lery?

— Bene — rispose Mino; — ha pianto un poco, poi si è messa a parlare di te, del suo amore per te, della sua vita senza scopo, poi ancora di te, di Furio.

— E poi?

— Poi avevo sonno e l'ho pregata d'andarsene. Mi ha incaricato di dirti che non partirà se non le avrai dato prima il bacio del perdono.

— Una noia, è questa donna.

— Dalle quel bacio e levatela dai piedi — consigliò Mino.

Furio indossò la divisa, uscí nel corridoio, bussò alla porta di Lery.

— Avanti — rispose la voce della donna.

Furio entrò: Lery era a letto e fra i capelli rossi e corti spiccava un viso sfatto, stanco, triste.

Dov'era dunque andata la gaia e limpida Lery di Pian delle Rose?

Il giovane s'avvicinò al letto, sedette sulla sponda.

— Cosa vuoi ancora, da me?

— Il bacio del perdono — balbettò Lery.

— Sono venuto per questo.

— E dopo?

— E dopo nulla: tu partirai. Io non t'amo piú. Non sei nulla per me, neppure un bel ricordo.

La donna impallidí e pregò:

— Baciami.

Furio si curvò sulla bocca ardente, ebbe un attimo di smarrimento, si riprese staccandosi da quelle labbra, ma nello stesso tempo un colpo di revolver echeggiò nella camera. Furio provò un acuto dolore al petto e Lery cadde sui guanciali. Il giovane le tolse l'arma dalla mano e uscí.

Entrò nella camera di Mino.

— Cosa accade? — domandò il giovane vedendo l'amico pallido e turbato.

— Aiutami a sfilare la giubba; mi ha ferito.

— Ferito? Sangue! Ma quella delinquente t'ha voluto uccidere! Bisogna farla arrestare!

— Taci, per amor di Dio! Non fare baccano. Nessuno deve sapere. Non è nulla, vedi? M'ha preso di striscio. Forse l'aquila mi ha salvato il polmone. Va' tu di là, e dille di partire subito.

Mino uscí; ma ritornò poco dopo annunciando che la camera era vuota.

— È fuggita — esclamò Furio con amarezza — come una delinquente qualunque! Almeno la sartina che vetrioleggia il seduttore l'affronta sulla strada, davanti a tutti, e si fa arrestare.

— Pensa a te — pregò Mino. — Soffri? Vuoi il medico?

— No, è una graffiatura. Un po' di garza e tutto passerà. Ma, ti prego: silenzio! Per lei e anche per me. Non voglio che il mio nome venga buttato nella cronaca nera e l'incidente sia commentato da tutte le portinaie.

— Ma tu vuoi prendere le revolverate e rimanere zitto?

— Sí, non dirò nulla, e se questa cosa verrà saputa sarò costretto a mentire e a dichiarare che un colpo inavvertitamente è partito dalla mia pistola mentre la pulivo o caricavo. E poi, se quella pazza ha un marito, bisogna pur rispettarlo. Dunque, silenzio.

— Come vuoi tu — sospirò Mino.

— Dove sarà andata?

— Chi?

— Lery.

— Al diavolo, speriamo!

— M'ha fatto male, quella donna. Non per la ferita, ma per il fatto in sé stesso. Sono andato fiducioso a dirle che le perdonavo e al mio bacio ha risposto con una revolverata. Questo mi convince che con le donne non avrò mai successo.

— Sciocchezze! Quella è una pazza e non tutte le donne s'assomigliano, per fortuna!

— Se tu sapessi che bisogno ho d'amore! — sussurrò Furio — ma non dell'amore sensuale; ho bisogno di dolcezza e di carezze; ho bisogno di una donna che mi culli un poco e mi parli teneramente. Questo bisogno di tenerezza addormenta anche i miei sensi.

— A ventotto anni è un po' presto — scherzò Mino. — Stasera, lo sai, c'è la grande festa danzante a Villa Igea. Vedrai tante belle creature seminude e t'accorgerai che alla tua età non si può vivere di tenerezza.

— Tu quanti anni hai?

— Ventisette.

— E sei fedele a Clara?

— Se a ventotto anni non si può vivere di tenerezza, a ventisette è difficile vivere di ricordi. Quello che si dà e quello che si ha da una donna, nel nostro e specialmente nel mio caso, non è l'amore, è qualche cosa che gli assomiglia. Siamo un po' come quei pittori che copiano quadri celebri. La cosa, il fatto, l'argomento è sempre quello, ma è pur sempre una copia. E l'originale rimane là, desiderio di tutti e possesso di uno solo.

— Ah, quando avrò la mia donna!— sospirò Furio. — Le farò una casa stupenda, le offrirò ogni giorno un nuovo dono, e sarà la piú elegante, la piú bella, la piú buona delle donne!

Alle appassionate e ingenue parole dell'amico, Mino sorrise. Si piantò sull'orecchio la « bustina » grigio-azzurra e dichiarò:

— Se tu non fossi il mio superiore, ti direi che un fanciullo pieno di sogni come te io non l'ho mai incontrato.

* * *

La sera, nella stupenda Villa Igea, si ballava. Donne belle, donne cosí cosí, donne brutte. Spalle nude, seni nudi, gambe scoperte fino alla coscia, occhi dipinti sino alle tempie, labbra rosse fino all'inverosimile. Testoline rapate, zazzere brevi, chiome maschili.

Tutti gli ufficiali dell'aviazione furono accolti con entusiasmo. Ah, questi uomini che hanno in loro il fascino del cielo sfidato, quanti piccoli cuori fanno palpitare!

Furio ballava senza entusiasmo. Non aveva mai capito quelle danze che avvinghiano un corpo all'altro, forse perché nel suo cuore cantavano ancora le note dei ricamati minuetti danzati dalle dame e dai cavalieri di Villafranca.

Donna Igea, elegante, non giovanissima, ma luminosa come uno zampillo d'acqua in un raggio di sole, gli si appoggiava tutta al braccio e il corpo di lei aderiva al corpo del giovane. Nei capelli aveva un profumo tepido, sottile, e dalla pelle salivano vampate di odoroso calore.

Passando da un salottino semibuio, Furio baciò la donna sulla bocca e questa gli disse:

— Domani alle cinque, qui.

Andò: dopo un'ora, congedandolo, la signora raccomandò ancora:

— Cerca tu un posto sicuro e tranquillo. Io ti adoro, sono tua.

In quel momento, inseguita dalla istitutrice, sgambettando sulla passatoia rossa che correva da un capo all'altro del corridoio, apparve una bambina.

— È tua? — domandò Furio.

— Sí — e rivolgendosi alla giovane: — Le avevo detto, miss, che la piccola non doveva mai venire qui. Questo non deve piú accadere.

Ma la bambina abbracciò le ginocchia della mamma e pregò:

— Tienmi un po' qui, mammina.

— La porti via — ordinò la signora. — Verrò io da te, Lele, ma ora vattene e sii buona.

E mandò via la bambina senza neppure baciarla. Offrí invece la bocca a Furio. Egli la baciò pensando che Lele forse in quel momento piangeva chiamando la sua mammina. Non cercò il luogo sicuro e non seppe mai che la bella signora luminosa come uno zampillo d'acqua in un raggio di sole lo chiamava mascalzone perché egli era troppo gentiluomo.

* * *

Un giorno arrivò all'albergo una famiglia numerosa: una virago vestita di color viola (la madre), un ometto con un naso adunco, collo proteso, occhi gialli, perfettamente somigliante a un gufo in attesa della carne cruda (il padre), tre ragazze dai quindici ai diciotto anni e un maschiaccio in calzoni corti, peloso come il tronco di un cameropo gigante.

Quel giorno, entrando nel ristorante dell'albergo per la colazione, Furio e Mino videro accanto alla loro una grande tavola apparecchiata. Poco dopo, la madre in testa a far la strada, il padre in coda, la famiglia entrava e prendeva posto alla grande tavola. Mino guardò attentamente quella gente e comunicò parecchie notizie a Furio, il quale dava le spalle alla tavola.

— La suocera ci guarda.

— Lasciala guardare.

— La ragazza piú giovane porta il cibo alla bocca col coltello.

— Si taglierà la lingua.

— Il maschiaccio ha già mangiato sei panini.

— Buon appetito.

— Il marito ha chiesto il sale alla moglie e questa gli ha passato il pepe.

— Avrà le sue buone ragioni.

— La ragazza piú bella mi guarda.

— Sorridile.

— Fatto.

— Cosa?

— Il sorriso.

— Devo andarmene?

— Quando porteranno il caffè, cambia posto.

— Per vedere gli scorbi?

— Non sono brutte, le ragazze: una poi è veramente carina. Ha i capelli castano dorato, occhi scuri, pelle chiara. Le altre sono quasi bionde, occhi chiari, pelle nivea, ma naso a patata.

— Capelli lunghi o corti?

— Lunghi.

— Diamine, dovevi dirmelo subito.

E Furio, alzandosi, mise la propria seggiola in modo da essere a fianco della grande tavola.

La fanciulla dai capelli scuri aveva, come le sorelle, due lunghe trecce ingenue di qua e di là del viso, indossava un abitino da educanda, parlava poco, sorrideva molto.

— Carina — mormorò Furio.

— Sí, molto carina — convenne Mino.

La piccola signorina mangiava, compunta, un quadratino di zucchero. Il ragazzo peloso come il tronco di un cameropo s'accarezzava la villosità delle gambe, il padre gufo silenziosamente arrotolava la mollica, le ragazze quasi bionde parlottavano fra loro, sbirciando i due giovani ufficiali. La suocera leggeva il giornale ruminando.

Dopo il caffè Mino e Furio s'alzarono, salutarono militarmente i vicini di tavola e ne ebbero in cambio una scarica di « buon giorno ».

La sera, rientrando nel ristorante, furono accolti dalla famiglia con cortesi e rumorosi « buona sera », « buon appetito ». Alle frutta i giovani sapevano che la famiglia Rosivi (si chiamava cosí) veniva da Codogno e avrebbe passato un mesetto in quel paese bagnato dal bel lago maestoso. Sapevano che a Codogno i Rosivi possedevano magazzini colmi di formaggi (oh, bella signorina dalle trecce ingenue, come non vi si addicono le tonde lune di Gorgonzola!) e che il ragazzo aveva un gran desiderio di volare.

— Marchino vuol volare, sicuro — sospirava la virago in funzione di madre, — ma io ho paura.

Gli aviatori hanno paura di coloro che hanno paura, cosí Mino sul *paura* della suocera cacciò la mano in tasca e accarezzò il maggiolino di pietra dura; quel maggiolino che era stato il portafortuna di tante generazioni. Furio baciò invece il magnifico anello, dono di sua madre, che nell'interno aveva incise le aquile e i draghi dei Villafranca.

Ma la virago continuò:

— Ho paura.

— E di che? — domandò Furio.

— Si può precipitare.

— Non è vero! — protestò il cameropo in calzoni corti. — Io so che non mi accadrà nulla se volerò con lei!

— Non dire sciocchezze, Marchino; fino che io vivrò tu in aeroplano non andrai. Capirà, duca, è l'unico maschio.

— Capisco benissimo. Però voglio dirle una cosa: lei ha un unico maschio, ma ha pure tre belle signorine; io invece sono l'unico figlio... e volo!

— Bel giudizio hanno i suoi!

Furio ebbe uno scatto, ma Sant'Elmo gli sussurrò:

— Ragiona come un verme dei suoi gorgonzola, non t'arrabbiare.

Il ragazzo, che sotto la villosità doveva avere dei buoni nervi, s'avvicinò a Furio e pregò:

— Mi faccia volare.

Gli occhi, mansueti come quelli di un bracco roano, imploravano.

— Caro ragazzo, io ti porterei in volo e con piacere, ma se la signora mamma non permette...

Il padre gufo taceva, le figliole non parlavano e Furio continuò:

— Eppure è strano che una signora come lei deve essere, cosí intelligente (ah, povero Mino, quanta birra ingoiò per nascondere i sorrisi!), cosí all'altezza dei nostri tempi, non si convinca che l'aviazione oramai è sicura quanto e piú dei treni e delle automobili!

La virago vestita di seta viola era diventata rossa, non per i complimenti, ma di vergogna. Come aveva potuto, infatti, lei moderna, intelligente, dichiarare di aver paura dell'aeroplano? Aveva ragione il signor duca, l'aeroplano era sicuro e Marchino poteva andarci tranquillamente.

— Se il signor duca vuol concedere a mio figlio l'onore di un volo, io non ho proprio nulla in contrario.

Il padre gufo sorrise, le tre fanciulle con trecce ingenue sorrisero e Marchino lí per lí diede prova della sua agilità saltando sedie e scavalcando tavolini.

— Volo, volo! — gridava. — Volo, volo! — urlava.

Ma sull'ultimo volo inciampò e volò veramente dalla sedia a terra.

— Vede, signora? Si può cadere anche da una seggiola — osservò Furio aiutando Marchino a rialzarsi. Un ginocchio del ragazzo sanguinava e sulla fronte una bozza, adagio adagio, appariva.

— Che ferite senza onore! — mormorò Marchino. — Non mi sono fatto nulla — strillò poi respingendo la madre che accorreva con un tovagliolo inzuppato.

— T'esce sangue, Marchino.

— E cosa vuoi che m'esca, acqua? Il signor duca mi fa volare ed io ridiscendo guarito. Quando? Domani?

— Sí, ma sta fermo.

La virago era commossa; evidentemente quel peloso ragazzo era il suo orgoglio.

— Di mattino, signor duca? — domandò Marchino.

— No, alle cinque, ti farò volare col mio apparecchio. Arrivederci, Marchino.

Altro assalto di « buon giorno », altri sorrisi e un gran dondolare di trecce.

Alle cinque, puntuale come una sventura, Marchino si trovò all'aeroporto. Furio non aveva mai visto un pazzo simile. Quando furono in alto egli si accorse che il ragazzo, seduto di fianco a lui, dava grandi spintoni alla fusoliera. Per farlo star cheto gli regalò uno scapaccione, ma quello continuò nella strana manovra.

— Cosa fai? — gli urlò.

— Voglio fare il giro della morte — gridò a sua volta il ragazzo.

Furio sorrise. Si assicurò che il ragazzo avesse la cinghia di sicurezza ben agganciata e gli regalò la emozione di una capriola. Quando l'apparecchio fu nuovamente in linea di volo Furio guardò Marchino e s'accorse ch'era pallido. Ne comprese la ragione. Mentre il cerchio della morte, eseguito con un apparecchio da terra, non dà nessuna spiacevole sensazione, eseguito con l'idrovolante, che è piú lento in quest'acrobazia, dà veramente, ma per un solo istante, la sensazione di precipitare: istintivamente ci si aggrappa al seggiolino e qualche volta, specialmente la prima volta, s'impallidisce un poco: come accadde a Marchino, che però, poco dopo, urlò all'orecchio di Furio:

— Un'altra!

E Furio l'accontentò.

Ritornarono a terra che imbruniva; Marchino, appena il motore tacque, esclamò:

— Che silenzio!

E aveva ragione. Quando un apparecchio, all'imbrunire, si posa su di un lago tranquillo, e il motore non canta piú, la cosa che maggiormente stupisce è il silenzio che fascia il mondo.

Se Furio avesse previsto qual dono l'attendeva in ricompensa del volo concesso a Marchino, si sarebbe guardato bene dal portare il ragazzo in idrovolante. La sera trovò sulla tavola apparecchiata un gran mazzo di fiori e un biglietto di ringraziamento. Ma l'indomani dovette accettare l'invito a pranzo della famiglia Rosivi. Cercò di sfuggire dicendo che non voleva lasciar Mino solo, ma la virago invitò anche Mino con una frase gentile:

— Venga anche lui, perbacco! Roba ce n'è per tutti.

Mino fu collocato fra le due ragazze col naso a patatina; Furio fra la madre e la ragazza silenziosa, che si chiamava Perla. Le altre due avevano per nome un soffio e uno starnuto: Fuffa e Giagià.

Il pranzo fu un vero pranzo da nuovi ricchi, uno di quei pranzi che spaventano, divertono, sbalordiscono e scandalizzano.

La virago doveva aver dato ordini grandiosi, perché attorno a lei saettavano i camerieri e gironzolava il direttore. Mino rideva e ciarlava con Fuffa e Giagià, che erano vispe come passerottine; Furio parlava poco e guardava molto Perla.

Bella, giovanissima, con un visetto puro, la fanciulla aveva però negli occhi una luce che turbava.

— Angelo o demonio? — si chiedeva Furio.

Dopo moltissimo spumante, parve a Furio che un irrequieto piedino cercasse il suo piede.

— M'avrà urtato inavvertitamente.

Ma il piedino ritornò all'assalto e con lui la gamba che s'avvicinò e aderí alla sua. Furio guardò stupito la sua vicina. Silenziosa, tranquilla, succhiava la crema di un fondente. La gamba femminile gli comunicava una carezza tepida. Si curvò sulla tavola e passò una mano sulla freschezza della calza serica. Perla sorrise e gli offrí un dolce.

— Grazie: ditemi se devo mangiarlo ora o se me lo richiederete.

— Conservatelo.

— Fino a quando?

Perla sorrise, abbassò gli occhi, s'accomodò le ingenue trecce sul petto e sussurrò:

— Fino a stanotte.

— Dove? — chiese con un tremito nella voce.

— Dove dormite voi?

— Nella mia camera — rispose stupito Furio.

— Ecco, l'avete detto.

— Voi? Da me?

In quel momento Perla alzò gli occhi e guardò severamente Giagià che rideva troppo forte.

— Potresti sorvegliarti meglio — disse con voce tagliente.

La bella risata morí all'improvviso e Giagià, allegra bimba, arrossí.

— Vede? — osservò la madre — Perla è una educatrice. Guai se non ci fosse lei! Quelle due matte mi farebbero morire.

Furio non rispose. La gamba di Perla s'era attorcigliata alla sua e la fanciulla, fingendo di spiegargli strani ghirigori tracciati su un braccialetto che le stringeva il polso, diceva:

— Aspettatemi: non posso precisare l'ora, ma verrò.

Poco dopo, dalla sua camera, Furio chiese a Mino:

— Se una fanciulla ti promettesse una visita notturna, tu che faresti?

— Spalancherei la porta della mia camera.

— Va bene, allora chiudo questa. Buona notte — e chiuse a chiave la porta che metteva in comunicazione la sua con la camera dell'amico.

— Verrà? — si chiedeva.

— No — rispondeva la sua coscienza di galantuomo. — È una bimba, non verrà.

— E allora perché ha promesso?

— Capriccio di bimba— ripeteva la coscienza.

— Desiderio di donna — sussurrava il cuore.

E non sapeva se tenere la divisa o indossare il pigiama, se rimanere in piedi o coricarsi. Chi attendeva? Una bimba pura o una donna perversa?

Le ore passavano.

— Ha scherzato — si disse Furio. E fu quasi lieto.

Entrò nella stanza da bagno, ne uscí poco dopo chiuso in un bel pigiama azzurro. S'avvicinò al letto. Una voce ridente:

— Che lunga doccia! Quanto ti sei fatto attendere!

E la risata morí, appena nata, fra le coltri, le trecce e le bocche unite.

* * *

L'indomani, quando Furio entrò nel ristorante per la colazione, la famiglia Rosivi era già a tavola e salutò col solito frastuono. Solamente Perla si limitò ad abbassare la testa in segno di saluto. Le trecce ingenue dondolarono ma il bel visetto puro non si scompose, neppure per un sorriso. E Furio udí la madre brontolare:

— Perla, puoi dire buon giorno, non ti comprometti, sai!

Per un mese, ogni notte, Furio poté disfare due trecce, affondare le mani e il viso in una chioma voluttuosa e avere da una bimba le piú sapienti carezze.

Una notte Perla gli disse:

— Domani partiamo.

— Ti potrò rivedere?

— No, il mio fidanzato ritorna dall'estero e fra un mese mi sposerò.

— Ti sposerai?! E lui sa?...

— Lui sa d'essere stato il primo amore. Non ti pare che basti?

— Non ti vedrò piú allora?

— No, dopo sarò fedele.

— E non potevi esserlo sempre?

Perla gli accarezzò dolcemente i capelli biondi e mormorò:

— Anche lui vende formaggi e io desideravo conoscere i baci di un bel duca.

Furio sorrise con amarezza e rifacendo macchinalmente una treccia domandò:

— E ti sono piaciuti i baci di questo duca?

— Mi sei piaciuto tu: il resto è sempre uguale.

Il giovane lasciò cadere la treccia e nel guanciale soffocò la frase che gli era salita dal cuore e voleva prorompere dalle labbra: — Che schifo!

Perla gli lasciò una bella fotografia, dove appariva vestita di bianco, su uno sfondo di fiori, con le trecce sul petto. Ritratto di bella bimba pura, di casta sorella, di futura pudica sposa.

— Vedi, — disse un giorno Furio a Mino, — vedi questa bimba? È stata per me la piú sensuale amante. E mia madre insiste perché mi sposi! Queste bambole pervertite fanno male anche alle altre, alle buone, alle oneste. Come si possono distinguere oramai le pure dalle altre, se queste si presentano con occhi bassi e sanno ingannare perfino chi vive continuamente accanto a loro? E questa bimba mi piaceva, la guardavo con gioia e le avrei forse, un giorno, offerto il mio nome.

— Volevi porre lo stemma dei Villafranca sopra una forma di gorgonzola? Tu scherzi, amico mio.

— La voglia di scherzare, se mai, è passata; e a questo ha pensato lei, Perla, la piú bella e la piú folle bambina.

Quel ritratto di fanciulla bianco-vestita rimase sul marmo nero del cassettone fino al giorno in cui Furio ricevette l'ordine di partire per una crociera con la sua squadriglia.

— Il ritratto di questa bimba, lo chiudi in un cassetto o lo porti in volo?

— Lo strappo — rispose Furio.

Quattro, otto pezzi di cartoncino caddero a terra; in quel momento la cameriera entrò, raccolse i pezzetti di carta e li portò via. Ne rimase uno, nascosto sotto la poltrona.

Furio lo scorse, lo raccolse: la bocca, il mento, due lunghe trecce. Piano, piano, portò alle labbra quel visetto mutilato, lo baciò, poi s'avvicinò alla finestra e lo lasciò cadere nel vuoto.

— Addio trecce ingenue! Poesia di un giorno, follia di molte notti!

Il mattino della partenza Mino ebbe una lettera di Clara. Ella gli narrava la nuova vita, le nuove abitudini, gli parlava di cose nuove che la distraevano, di cose belle che le piacevano. Clara scriveva una lettera brillante dove non sospiravano rimpianti e non fremevano desideri.

— Ecco, Furio — mormorò con tristezza Mino — il mio romanzo d'amore è ormai alla fine.

— Perché?

— Clara non soffre piú, non mi desidera piú.

— Meglio cosí! La preferivi infelice?

— No, prevedevo tutto questo, ma il tormento è per Elma. Se Clara non mi ama piú non farà nulla per farmi rivedere la bambina, e io, anche se andrò laggiú, anche se pregherò in ginocchio, troverò solo una mamma come tutte le altre, che stupirà un poco se un uomo, ormai dimenticato, le chiederà il permesso di baciare la sua bambina. Tu vedi che, se ho peccato, ho anche scontato e sconto continuamente.

Gli idrovolanti sembravano impazienti. Nove apparecchi d'argento andavano lassú, portandosi in alto, dove l'infinito nulla è d'una bellezza senza paragone, giovani cuori pieni di entusiasmo e di fede.

Furio, capo squadriglia, prese quota e tutti gli altri

apparecchi raggiunsero il compagno che li guidava, mantenendo fra loro una media di 20 metri di distanza e di altezza. Docili e possenti, i nove velivoli portavano il loro triangolo d'argento incontro al sole.

Furio di tanto in tanto abbandonava i comandi per riprenderli alla prima *scopola* che sbandava l'apparecchio. Un pilota corregge le *scopole*, un altro attende tranquillo che l'apparecchio le corregga da sé. Come nella vita; l'uno reagisce, l'altro lascia fare. Andava, il gran triangolo d'argento, avvolto nel canto dei motori, su monti e su mari, portando per il mondo il tricolore italiano, la fiamma ardente di diciotto cuori.

Ammarò lontano lontano. Gli aviatori furono accolti e contesi dalle famiglie italiane. Il non piú giovane marchese Roberto Vivaldi sequestrò Furio, lo volle nella sua casa, gli presentò una bellissima sorella e un superbo allevamento di cani da caccia. Setters bianchi e lucenti, neri e focati, bracchi robusti e snelli pointers, spinoni arruffati e pensosi, segugi dal pelo raso, bassi coker bardati da frange e levrieri alti e sottili. Ogni razza aveva il proprio recinto e la propria casa.

— Quanti cani! Che ne fa? — domandò Furio.

— I cani, la caccia, sono il mio passatempo: non c'è altro, qui.

— E perché non si compra un piccolo idrovolante? Avrà un passatempo meraviglioso... e senza vittime.

— E chi mi insegnerà a pilotare?

— Io, se lei potrà venire in Italia.

— Verrò. Ho promesso a mia sorella un viaggio in patria; verremo dove sarà lei.

— Ma, per sua sorella, il paese dove c'è l'aeroporto nostro non è adatto. È un luogo frequentato d'estate, ma deserto e triste d'inverno.

— E lei, cosí giovane, può vivere fra tanta monotonia?

— Non c'è monotonia dove c'è acqua, cielo e un apparecchio. È tanto facile superare le distanze e balzare in un momento dal silenzio d'un paese al rumore d'una città! Le distanze sono per noi un'opinione.

— Ma io ho quarantacinque anni, sono troppo vecchio per l'aeroplano.

— Vecchio? L'aeroplano ringiovanisce, rende piú saldo il cuore, piú forti i nervi. Venga, io sarò il suo maestro, e il cielo d'Italia la sua scuola.

— Ho tanta nostalgia d'azzurro italiano!

— E allora l'attendo. È cosí facile lasciare la terra straniera quando si ha desiderio del proprio cielo!

— Le prometto che verrò: anche Amelia deve rivedere la sua patria. Ella ricorda ben poco perché venne qui bambina.

Amelia sorrise. Aveva diciotto anni, bei capelli neri tagliati corti come quelli d'un paggio, grandi occhi languidi, un profilo di medaglia; piccola e snella, con movenze un po' lente, dolcissime. Furio aveva pensato:

— Se questa piccola marchesa non avesse tagliate le trecce, potrebbe sembrare una levigata damina dell'Ottocento.

— Ci rivedremo in Italia, marchesina? — le aveva chiesto al momento della partenza.

— Sí, io spero.

Furio s'inchinò e si portò negli occhi un sorriso dolce e un po' triste.

Ancora nel cielo si disegnò il gran triangolo d'argento, ancora la pace azzurra fu turbata dal lacerante urlare dei motori, e tutto parve fremere, vibrare, cantare e ronzare.

— Simpatico, quel giovane duca Villafranca — osservò Roberto quando il triangolo d'argento, confondendosi lontano con l'oro del sole, sparí.

Amelia accarezzò la testa focata di Po, il bel setter che portava il nome del grande fiume italiano e non rispose.

— Non sei del mio parere? — domandò Roberto alla giovane sorella.

— Sí, Roberto.

— Piccina mia, se potessi affidarti ad un uomo cosí, sarei tanto contento.

— Tanta fretta hai di maritarmi?

— No, piccola, ma ci sono io solo per te, e, credimi, il tuo avvenire mi preoccupa. E se io morissi?

— Come t'ha reso triste la partenza di Villafranca!

— Forse è tristezza, forse è nostalgia della mia terra lontana...

— Chi ti proibisce di partire? I tuoi affari sono in buone mani; andiamo.

— Sí, Amelia, presto; col primo piroscafo che andrà in Italia.

Partirono e giunsero a Milano in un mattino d'autunno. La città li accolse con un timido sole e un leggero tepore. Pareva dicesse alla fanciulla:

— Ecco: io ti do tutto quello che posso dare, io offro a te, che ritorni, tutto il sole che possiedo.

E Amelia guardò la città dove era nata e non la riconobbe; forse neppure le piacque perché era abituata alla pace di quella terra dove era cresciuta e che aveva la molle bellezza dell'Oriente.

Cosí, quando il fratello le fece conoscere il bel lago che custodiva un magnifico aeroporto, ella gli disse:

— Fermiamoci qui, preferisco questo silenzio.

Furio sorridendo profetizzò:

— Fra quindici giorni vorrà fuggire.

— Chi sa! — rispose la fanciulla.

Infatti dopo quindici giorni Amelia dichiarava a Furio:

— Sono entusiasta di questo lago, di questo cielo, di questo paese. Vorrei poter restare qui, sempre.

Il giovane la guardò e vide che gli occhi della piccola marchesa fissavano nel cielo un apparecchio che vagabondava.

— Desidera volare, marchesina?

— Sí.

— Dopo la lezione a suo fratello, o prima?

— Quando lei vuole, purché mi porti su.

E Furio portò in alto quella bella creatura che aveva tutto l'ardore delle donne italiane e tutti i languori delle morbide orientali.

Tre mesi dopo Roberto otteneva il brevetto di pilota, acquistava uno snello apparecchio e saettava nello spazio con tanta maestria e prepotenza da far pensare che il cielo si fosse messo tutto a disposizione di quell'Italiano che ritornava.

Furio sognava: se ne accorse Mino che gli disse:

— Ti stai bruciando al fuoco degli occhi della marchesina. Forse hai finalmente trovato la tua donna.

— Può darsi: ha un bel nome e un bel viso.

— E allora, coraggio! Chiedi la sua mano, il fratello te la darà certamente.

— Ma lei? È cosí fredda, seria, severa...

— Tenta.

Tentò: Roberto gli aprí le braccia, se lo strinse al cuore e gli disse:

— Sono felice.

— E Amelia?

— Sarà orgogliosa.

Ma Amelia rispose no.

— Vorrai spiegarmi almeno il perché del tuo rifiuto — esclamò con voce alterata Roberto.

— È molto semplice — spiegò Amelia. — Amo un altro.

— Chi è?

— È un aviatore, un sottotenente giovanissimo, forse non ricco, certo non nobile: un meraviglioso acrobata.

— Ministi! Giuseppe Ministi! — esclamò Furio. E sulle labbra gli venne un brutto sorriso.

— Avete indovinato.

— Ma è un povero ragazzo con un nome oscuro...

— Il mio cuore cerca un cuore, non un titolo nobilesco.

— Io non permetterò mai — protestò Roberto.

— Tu permetterai, Roberto, perché non puoi ordinarmi di essere infelice.

— Vorrei almeno sapere come, quando, ti sei innamorata.

— Ah, Roberto, tu chiedi l'impossibile. Chi può sapere il momento preciso in cui ci s'innamora? Si esce di casa sereni, allegri e col cuore vuoto, si rientra col cuore che pesa, si cerca di scoprire il perché di quel peso, e ci si accorge che qualcuno, a nostra insaputa, è entrato nel cuore e vi si è chiuso dentro.

— Avete ragione, Amelia — mormorò Furio. — Giuseppe Ministi è un ottimo ragazzo e un pilota magnifico.

— Grazie, — sorrise la fanciulla tendendogli la mano.

Furio strinse la mano piccina, e per la prima volta la baciò.

— Ormai siete sulla via di diventare una signora e il baciamano è permesso. Volete che io dica a Ministi di venire qui e di chiedere con coraggio la vostra mano?

— Se Roberto permette...

Roberto tossí, ingoiò la sua delusione e rispose:

— Permetto.

Furio, uscendo dal villino che i marchesi Vivaldi avevano preso in affitto, andò in cerca di Mino. Lo trovò in estasi davanti ad un ritratto di Elma.

— Come sta la piccina?

— Bene. Guarda come si fa bella!

— E Clara?

— Di Clara poche parole e neppure la fotografia che desideravo. La lontananza mi ha fatto perdere la mia donna.

— Meglio cosí, Mino. Lasciala ai suoi doveri di moglie e di madre. Essa t'è sempre vicina anche se si è ripresa. Vedi come ti unisce costantemente alla tua piccola? Elma deve bastarti; non sei solo, tu...

Mino guardò l'amico negli occhi:

— Che c'è? — chiese.

— Nulla, perché?

— La marchesina Amelia?

— Prenderà presto marito.

— La sposi? Sei felice?

— Non sposa me: sposa Giuseppe Ministi.

— Ministi? Il sottotenente?

— Precisamente.

— Ma se non è neppur nobile!

— E Clara è nobile?

— No.

— E se fosse stata libera, tu, Mino Sant'Elmo, l'avresti sposata?

— Con entusiasmo.

— Ecco, la marchesa Vivaldi la pensa come te. E fa bene, benone. Muoiano i pregiudizi, crollino le ubbie! In questi tempi nuovi, tutto deve essere nuovo. Fate largo ai cuori, fate largo a chi si ama! Non importa se una corona non si unirà a un'altra corona. Purché s'incontrino due belle bocche giovani, non conta se un nome luminoso s'offuscherà unendosi a un nome oscuro. Ministi, continuando cosí, saprà dar luce e splendore al proprio nome. Largo dunque agli aviatori che sanno, qualche volta, fare del loro piccolo nome un nome celebre.

— Ma non soffri, vero? — chiese Mino, stupito da quella foga.

— Io? Sai cosa faccio? Vado in cerca di Ministi e gli porto la buona notizia. Vuoi venire?

— Sono di guardia. Augurî al fortunato collega.

* * *

Un giorno di novembre, pioveva e gli apparecchi dormivano, Mino e Furio curvi sulla tavola da lavoro studiavano carte geografiche, tracciavano disegni, eseguivano calcoli. Qualcuno bussò:

— Avanti — rispose seccato Furio.

La porta si aprí e Furio balzando in piedi gridò:

— Mamma!

La sorpresa dei due giovani fu immensa.

Anche Sant'Elmo sorrideva felice perché si era abituato a considerare un po' sua la mamma dell'amico:

— Mamma, vuoi un tè?

— Duchessa, un liquore?

— Mamma, hai fissato una camera?

— Duchessa, ordini a me.

— Ragazzi, state zitti, non preoccupatevi. Da qualche giorno ero senza notizie di Furio e pensavo: male non sta; o è innamorato, o...

—... o?...

— O mi sta combinando qualche cosa... Infatti — e con la mano accennò alle carte.

I due giovani si guardarono in viso e non dissero nulla.

— Segreti?

— Sí, mamma.

— Parti?

Furio non rispose: un leggero tremito scosse il corpo della duchessa:

— Affronti un pericolo grave, Furio? — domandò con voce piana e sicura, troppo sicura.

— No, duchessa, ormai è inutile tacere con lei, ed è superfluo chiederle la promessa di non far parola a nessuno, nemmeno col duca suo marito.

— Prometto, Mino, ma mi dica...

— Ecco, si tratta di un viaggio con un apparecchio velocissimo. Finora i grandi voli sono stati fatti con apparecchi che non hanno superato i 200 chilometri all'ora. E gli apparecchi velocissimi hanno servito unicamente per prove di velocità in circuiti chiusi. Noi vogliamo sfruttare questi apparecchi per fare un viaggio...

— ... lontano? — mormorò la madre.

— Fin dove si potrà. Ma il pericolo è minimo, non si preoccupi e pensi che per merito nostro un giorno si potrà dire: « Oggi vado a New York, ma domani sera attendetemi pure all'ora di cena ».

— E non mi dicevi nulla, Furio?

— Non ti dicevo nulla, perché nulla è certo finora, e non volevo metterti in ansia inutilmente. Se il viaggio si farà, sarà per il prossimo anno; dunque sii tranquilla, serena, e bacia questo tuo figliolone.

— Dio ti protegga, Furio — mormorò Aura accarezzando i capelli del figlio, e le sue mani tremavano un poco.

Furio se ne accorse, e abbracciando la mamma disse:

— Devo confessarti una cosa grave.

— Grave? O Dio, che cosa c'è ancora?

— C'è che vorrei comperarmi una nuova macchina da corsa e non ho quattrini. Me la regali tu, mamma?

— Sí, Furio, sí. Quanto vuoi?

Furio disse una cifra e aggiunse subito:

— Molto, no?

— No, Furio, te l'offro io. Tutto quello che vuoi, caro.

— Brava mamma! Li avevo anch'io, sai, i quattrini, ma se me la offri tu, la macchina mi parrà ancora piú bella. E l'inaugurerò con te.

— No, io la pago, ma in quell'automobile con te non verrò.

— E in aeroplano?

— Sempre.

— Per ora, mamma, t'invitiamo a pranzo. E la tua camera?

— È quella attigua alla tua.

— Ah, la camera di Lery!

— Di...?

— Nulla, nulla — s'affrettò a concludere Furio guardando Mino.

— Una tua amica, Furio?

— Sí, mamma, ma ora non ne so piú nulla.

— Quanto sarei contenta se tu mi regalassi una piccola nuora!

— Sono sfortunato, mamma. Ho trovato una donna innamoratissima, ma pretendeva che non volassi piú. Ho trovato una fanciulla che pareva una santa, aveva diciotto anni, due trecce lunghe e... e...

— E ti ha tradito?

— No, mamma, ha tradito le mie illusioni.

— Cosa è accaduto?

— È venuta qui, mamma, una notte, molte notti. Poi se n'è andata.

— E tu?

— Io l'ho lasciata andare!

— Ma non è onesto...

— Non aver paura, mamma: il suo primo amore non sono stato io. Spero di essere stato il secondo!

La duchessa scosse il capo e mormorò:

— Che tempi!

— Poi, in crociera — continuò Furio, — incontrai una bruna marchesina Vivaldi. Me ne innamorai? Non so: mi interessò, la chiesi in isposa, mi rifiutò e fra qualche mese sposerà un tenentino con un nome modesto ma che è però un valoroso pilota. Concludendo: alla moglie non penso più.

— E lei, Sant'Elmo?

— Io non ho tempo, duchessa! Devo volare.

— Mamma, vuoi andare nella tua camera? T'accompagno.

Quando furono nella camera ch'era stata di Lery, Furio s'avvicinò alla mamma, le prese le mani e le disse:

— Sei triste, e so perché. Non devi esserlo, mammetta. Tu tremi per me, oggi, e non sai che in questa stessa camera pochi mesi fa una donna mi ha tirato una revolverata. Non ti agitare, mamma, era una pazza innamorata che ho liquidato subito. Non t'ho detto nulla perché la ferita era ridicola e perché nessuno, all'infuori di Sant'Elmo, ha saputo. E tu sai chi mi ha salvato, chi ha fatto deviare la pallottola? Questa, l'aquila.

Aura di Villafranca si strinse al figlio, baciò il trofeo e mormorò:

— Pensa alla tua mamma, Furio, io non ho che te. Ma fa tutto quello che ti pare e porta in alto, piú in alto che puoi, questa tua aquila alla quale devi la vita.

Pochi giorni dopo, Furio ottenne d'accompagnare la sua mamma al castello di Villafranca.

Partirono in volo, naturalmente, e la bionda duchessa Aura dichiarò all'arrivo che mai viaggio le era sembrato cosí breve, allegro e vario.

Momo di Villafranca accolse il figlio come avrebbe accolto un caro compagno di circolo.

— Vuoi salire nel tuo appartamento? T'accompagno?

— Sí, papà.

— Quando mi sento chiamare « papà » stupisco sempre — osservò ridendo Momo.

— E perché? — domandò Furio.

— Chi lo sa! Non chiami il tuo vecchio Fricchi?

— Ho imparato a fare da me.

— Non hai il cameriere?

— No, che me ne farei?

— Scusa, dimenticavo che a te piace vivere la vita umile.

— Niente affatto — ribatté Furio — niente affatto. Io vivo una vita comoda, agiata e lussuosa anche. Possiedo un aeroplano e una potente automobile, ma trovo stupido avere fra i piedi un uomo che mi aiuti a vestirmi, quando posso farlo da solo e perfettamente.

— Ma al decoro non pensi?

— Caro papà, chi vola non ha tempo da perdere e a certi pregiudizi non pensa nemmeno.

— Come vuoi tu, ma avrei preferito che mio figlio rimanesse il duca di Villafranca e non diventasse il comandante Villafranca.

— Io credo di averti già detto che il duca di Villafranca, anzi tutti i duchi di Villafranca, non hanno nulla di buono al loro attivo e invece questo modesto comandante ha una medaglia d'argento, ha fatto qualche cosa e spera di fare molto.

— Hai qualche progetto?

— Sí, ma è un abbozzo di progetto e desidero non parlarne.

— Neppure a tuo padre?

— A te meno che a tutti. Che ne sai di aviazione?

— Non vorrai dirmi che sono incompetente.

— Incompetente, sí, papà. Tu non sai distinguere un profilato da un lungherone.

— Esageri, Furio.

— Non esagero, e non te ne faccio rimprovero. Ognuno segue la propria passione: tu i cavalli, io gli aeroplani.

— E donne?

— Le donne non mi preoccupano. Non le cerco.

— Nessuna passione, dunque?

— Nessuna.

— I tempi cambiano. Tutti i duchi di Villafrànca hanno scatenato passioni e parecchi, se tornassero, potrebbero narrare tragedie. Belle dame suicide e dolci fanciulle offertesi volontariamente alla morte.

— Mi dispiace, papà, ma non posso servirti nessuna passione mortale. Nessuna donna s'è uccisa per me. Però...

— Però?...

— Nulla.

Gli era apparsa ad un tratto Lery, bianca fra le lenzuola bianche, e all'orecchio gli era risuonato, tragico e improvviso, il colpo di revolver.

— I tempi cambiano veramente — rise Furio, e pensò:

— Le dame si uccidevano una volta, ora uccidono... se possono.

Lasciando il bel castello dove era nato, Furio per la prima volta ebbe un attimo di malinconia. Il pensiero della mamma gli fasciava il cuore di tristezza. Aura s'era mostrata serena, gaia, quasi spensierata.

eppure Furio aveva capito il tormento di quel saldo cuore. Dell'impresa ch'egli voleva tentare, nessuna parola. E mai silenzio era stato piú eloquente.

Furio comprendeva l'ansia di sua madre, i timori, le paure. Ma che poteva fare ormai se quel bisogno di voli lo voleva portare tanto alto e tanto lontano?

Il piccolo idrovolante andava nell'ovatta azzurra del cielo ligure e si specchiava nel liquido cristallo del mare. Genova, ammantata di sole, si pavoneggiava nella luce del mattino.

— Addio, bella! — gridò Furio, salutando la Superba.

Poco dopo, incipriandosi nella leggera bruma del mattino, l'idrovolante d'argento passava cantando sopra i Giovi. A un tratto, l'orecchio ben addestrato alla musica dei motori percepí un battito carico di minacce.

— Compagno, che accade? — chiese Furio parlando al motore.

Gli rispose uno spruzzo d'acqua calda.

— Male: il radiatore perde acqua. Bisogna scendere e avere molta calma e molta fiducia. Abbiamo visto di peggio, caro Villafranca!

Con tranquilla sicurezza *picchiò* l'apparecchio che s'impennava leggermente.

— Se questo animale si mette a *cabrare* perdo velocità, e io ho bisogno di acquistarne, invece.

Alla manovra, l'idrovolante rispose riprendendo la corsa normale.

Gli occhi dell'aviatore scrutavano lontano.

— Ecco il Po, io sono salvo, e tu, piccola canaglia, hai cercato inutilmente di farmi paura.

Ma i battiti del motore si facevano sempre piú irregolari e, improvvisamente, il rombo tacque. Con l'elica ferma, ma col cuore tranquillo, Furio raggiunse l'acqua, si permise il lusso di una violenta *piastrella* e si arrestò.

— Anche questa è fatta — concluse.

E solo allora osò confessare a sé stesso d'aver arrischiato la vita.

Sant'Elmo stupí vedendo arrivare Furio in treno.

— Un'avaria. L'apparecchio arriverà come me, per strada ferrata. Ho piegato le ali e l'ho ficcato in un carrozzone. Viaggia come un milionario americano.

— Nulla di grave?

— No, per bontà del Po. Se il fiume fosse stato solo un po' piú in là, non so come sarebbe finita.

— E cosa hai pensato mentre l'elica si fermava?

— C'era poco da pensare. Ho avuto netto e preciso il senso del pericolo e ho cercato di evitarlo. Ecco tutto, Novità, qui

— Sono arrivati i due « Giganti ».

— Bene, domani li proverò. Altro?

— La signorina Vivaldi diventerà la signora Ministi fra pochi giorni. Ho avuto l'invito, l'avrai anche tu. Sul tavolino ho fatto mettere la tua corrispondenza.

Furio cercò distrattamente fra lettere e giornali.

— Eccolo: andremo.

— Bisognerà offrire un dono.

— Certo. Non hai pensato?

— No, non so proprio.

— Come siamo incapaci, in certe cose, noi uomini!

— Ci fosse Clara, mi consiglierebbe — sospirò Mino.

— Hai notizie?

— No, un'altra fotografia di Elma, a cavallo. Guardala.

Spavalda sulla groppa d'un vero elegante cavallino, Elma sorrideva. Furio la guardò con malinconia, poi, restituendo il ritratto, mormorò:

— Che peccato!...

S'accorse che Mino soffriva e volle distrarlo.

— Pensa al dono. Va' tu a Milano e scegli anche per me: una cosa bella, fine. Tu capisci, come mancato marito, ho il dovere di fare bella figura.

— Possiamo andare insieme.

— No, io voglio fare la conoscenza dei due « Giganti ».

S'alzò per tempo, l'indomani mattina, e senza attendere Sant'Elmo andò all'aeroporto. Molti avieri s'affaccendavano attorno al grosso apparecchio.

— Lo provo subito — annunciò Furio.

Prese posto nel foro scavato dentro alla enorme ala e cominciò un attento esame di comandi: provò il timone di profondità e quello di direzione, s'accertò della facilità della manovra, della stupenda visibilità, poi chiese:

— Quanti litri di benzina avete messo?

— Mille — rispose un aviere.

— Il decollo sarà facile.

Attaccò il motore e rombando fragorosamente l'apparecchio cominciò a flottare.

Presto Furio s'accorse che il « bestione » non si decideva a decollare.

— Ma perché? — si chiedeva il giovane. — Non è carico, non c'è nulla di anormale.

Continuò la corsa, e finalmente con un balzo pesante l'apparecchio decollò.

— Dove vado?

Puntò su un laghetto della Brianza, un laghetto che dorme tranquillo, protetto da alte canne, adorno di grasse victorie e leggere ninfee.

Docile e maestoso, il grande apparecchio spaccava il cielo. Certo qualcuno alzando gli occhi, richiamato dal gran frastuono, avrà pensato con stupore a quell'uomo che nello spazio infinito portava a passeggio una cosí enorme e imponente macchina vincendo tutte le leggi della gravità, sconvolgendo tutti i ricordi di lente diligenze traballanti al suono argenteo di cento campanelli. Con manovra sicura, Furio andò a posarsi sull'acqua del placido laghetto. Due, tre barche si staccarono dalla riva, s'avvicinarono all'idrovolante. Occhi incantati di fanciulli, occhi stupiti di pescatori.

— Vuol scendere?

— Vuole qualche cosa?

— E i suoi soldati?

— Quali? — domandò meravigliato il giovane guardandosi attorno. Rimase inebetito vedendo sbucare dagli *hublots* delle teste che parevano senza corpo.

Furio balzò in piedi sul seggiolino e gridò:

— Da dove uscite, voi?

Silenzio.

— Vi ordino di rispondere. Fuori!

Uscirono, e s'allinearono sull'ala dodici avieri.

— Eravamo nascosti nei galleggianti... — osò un aviere — avevamo tanto desiderio d'un volo...

— Animali! Ora mi spiego la difficoltà di decollare! Avevo dodici uomini a bordo.

— Quindici, comandante — precisò l'aviere.

— Quindici? Dove sono gli altri tre?

— Nel reparto della radio.

Furio strisciò sotto il posto di comando e scovò accovacciati e sudati tre piccoli avieri. La sua ira sbollí di colpo e trattenendo a stento la piú lieta fra le risate gridò:

— Fuori, canaglie!

Ritti sulle ali i quindici avieri attendevano la giusta punizione:

— Dovrei buttarvi tutti nel lago — cominciò Furio — ma sono certo che i pesci morirebbero avvelenati e ho troppo riguardo per questi animali per dar loro tale morte. Voi, Palvis, parlate per tutti e spiegatemi il perché di questa porcheria.

— Ecco, comandante. Da un mese attendevamo il permesso di volare: il permesso non veniva mai, e...

— ... voi ve lo siete preso. Bene, e ora io vi devo punire.

— Non importa. Abbiamo volato.

— Ve la leverete, la voglia!

— Ci punisca, comandante, ma ci riconduca all'aeroporto in volo.

— Per forza! Dove dovrei lasciarvi? All'aeroporto, poi, aggiusteremo i conti. Ora, a cuccia!

I conti non si aggiustarono mai e Furio confessò a Mino:

— Preferisco un mese di fortezza per me, piuttosto che punire chi ha commesso lo stupendo delitto di volare.

Passava in quel momento con le braccia cariche l'aviere addetto alla manutenzione dei paracadute. Ogni mese, tutti i paracadute venivano aperti, offerti al sole, all'aria e nuovamente ripiegati.

— Di' un po', tu — chiamò Sant'Elmo. — Hai fatto le cose bene? Hai piegato con attenzione i paracadute?

— Signorsí. E se vuole mi lancio, cosí li provo.

Disse questo con ingenua sicurezza e con tanto entusiasmo che i due giovani ne furono commossi.

— L'Italia — assicurò Furio, — ha le piú belle vittorie e conosce i piú bei nomi, ma ancora non sa quanto coraggio, quale entusiasmo anima questi piccoli soldati dell'aria che sanno essere stupende aquile. Per un volo arrischiano trenta giorni di prigione e tranquillamente propongono un lancio per provarti la perfetta piegatura dei paracadute.

— Ma chi c'è fuori? — domandò Furio sentendo un rombo di motori.

— Nessuno — rispose Mino.

Uscirono dalla saletta e guardarono su. Due apparecchi da terra volavano veloci e leggeri, poco alti sull'acqua.

— E questo non si chiama coraggio, sicurezza, serenità? — chiese Furio.

Agli ignoti compagni, diretti forse verso una terra lontana, Mino e Furio gridarono il loro augurale:

— In bocca al lupo!

Dopo pranzo, mentre passeggiavano, Mino volle sapere l'ora.

— Le otto — gli annunciò Furio.

— Presto per andare a dormire.

— E di passeggiare non ho voglia — soggiunse Furio.

— Andiamo a Milano?

A Milano furono accolti da un temporale violento. S'infilarono in un teatro di varietà. Acrobati, coppie danzanti, gambe di donna. E poi ancora gambe, seni, e spalle e cosce in mostra.

— Ti piace? — domandò Sant'Elmo a Furio, alludendo alla danzatrice assai poco vestita che in quel momento mandava baci e calci al pubblico.

— Ha un corpo stupendo, ma guarda che mani! Fa pensare ad un'intera generazione di lavapiatti.

— E il viso?

— Comune, ma non volgare.

— L'invitiamo a cena?

— Come vuoi; tanto, Clara non vede.

Un'ombra passò sul viso di Mino, e Furio continuò:

— Una sola donna con due uomini? È per te o per me?

Mino trasse una moneta e scherzando propose:

— Testa a me, croce a te.

Buttò in alto la moneta, la riprese sulla palma:

— Testa. Il vedovo sei tu.

— Come avevo previsto: le donne mi fuggono.

Mandarono un biglietto alla piccola danzatrice e poco dopo la videro capitare nel palco trillante e felice.

— Eccomi. Mi chiamo Bessie. Chi dei due mi vuole?

— Io — rispose Sant'Elmo.

— E per voi, povero piccolo? — domandò a Furio Bessie, che era giovanissima e assai vivace.

— Per me, niente — sospirò comicamente Furio.

— Ma no, c'è la mia amica Fanfan, la vedrete, chiude lo spettacolo.

— Canta?

— No, balla anche lei, ma danze classiche. L'avverto.

E scappò, leggera, vaporosa come il fumo d'una sigaretta fumata voluttuosamente.

Ritornò che l'orchestra attaccava la marcia d'introduzione di Fanfan e annunciò:

— Fatto.

E Furio aspettò che il velario si aprisse per vedere la donna che, ancora sconosciuta, già gli apparteneva.

E non fu deluso.

Bella, sottile, bionda, Fanfan danzava tra veli con classiche movenze.

— Contento? — domandò Bessie.

— Sí, grazie.

Fanfan fu la sua amica di quella sera e per molte sere. Furio e Mino ogni notte lasciavano l'aeroporto per scappare a Milano e vi tornavano ogni mattina stanchi, assonniti, pentiti.

— Bisogna finirla — brontolava Furio.

— Dammi il buon esempio tu, capitano — rispondeva poco rispettosamente Sant'Elmo.

— Oramai... Fanfan termina la scrittura; fra due giorni parte.

— Anche Bessie.

— E allora la cosa finisce da sé.

L'ultima sera Furio disse alla piccola amica:

— Vorrei offrirti qualche cosa, Fanfan, per ricordarmi a te. Dimmi tu.

— Non voglio niente — rispose la donna.

— Come? — chiese Furio.

— Nulla — ripeté con voce dura Fanfan.

— Ma non è possibile — protestò il giovane — e se non vuoi dirmi tu ciò che desideri, ecco, ti firmo un assegno.

Trasse il libretto degli assegni, scrisse un numero e lo consegnò a Fanfan.

La giovane prese il breve biglietto, lo guardò, sorrise e stracciò.

— Ma perché, Fanfan?

— Perché ti voglio bene — fu la risposta semplice e sincera.

Stupíto, Furio afferrò le mani della bella danzatrice. Fanfan si svincolò e si buttò sul letto bocconi.

— Piangi, piccola?

Un pianto sommesso di bambina, un singhiozzo soffocato e vergognoso.

— Cara piccola! — mormorò Furio; e non seppe dire altro, commosso, stupito com'era.

— Ti voglio bene, Furio — diceva Fanfan nel pianto — ho passato con te ore che non dimenticherò. Gli altri mi prendevano con la prepotenza del compratore, tu mi hai considerata un dono prezioso. Non sciuparmi questa illusione, non pagarmi anche tu.

— Ma io non posso...

— Sí, che puoi. Non ho bisogno di nulla, credi. Fra le tue braccia non ho sentito il padrone, ho sentito un uomo che cercava, con tanta dolcezza, un po' d'amore. E io t'ho dato tutto l'amore ch'era in me e che non avevo ancora dato a nessuno. Mi capisci, Furio?

— Sí, ma appunto per questo accetta almeno un ricordo mio.

— No.

— E allora rimani, non partire.

— Rimanere per farmi mantenere da te? Non capisci proprio, Furio? Non vuoi proprio credere che anche noi possiamo amare?

Sfilarono davanti a lui, all'improvviso, volti di donna; Lery con le brevi chiome fulve, Perla con le sue trecce ingenue, la piccola marchesa Amelia Vivaldi e le cento altre donne che gli avevano sorriso. Quali di esse l'avevano amato? Nessuna, neppure Lery, perché non si uccide chi si ama, perché quando si ha il coraggio di armare la mano l'amore è già lontano, al di là di sé stesso, ed è diventato odio. Nessuna: solo Fanfan, piccola danzatrice, deliziosa sperduta dal generoso cuore, gli aveva dato sinceramente affetto e passione.

Accarezzò i capelli biondi senza parlare.

Fanfan afferrò la mano di Furio e la coprí di baci.

All'alba, Furio le chiese:

— Dove andrai?

— Non so.

— Non vuoi dirmelo?

— No.

— Ritornerai? Ti vedrò?

— Non so, non so.

— Ebbene, Fanfan, il mio nome lo sai e sai anche dove potrai scrivermi o trovarmi. Io attendo.

— Va bene, grazie.

Quando fu vestito Furio si curvò su Fanfan per un ultimo bacio. La giovane offrí la bocca, poi timidamente mormorò:

— Un dono vorrei, Furio.

— Dimmi, tutto quello che vuoi.

— Dammi l'aquila, questa.

E allungò la piccola mano. Furio pensò un attimo, poi rispose:

— No, la mia aquila, no.

— È una cosa di nessun valore, l'avrei accettata volentieri.

— Infatti il valore materiale è minimo, ma essa non può diventare il gingillo d'una donna... — s'interruppe.

— D'una donna come me. Capisco, perdonami.

Umilmente, senza parlare, con le dita sottili accarezzò il trofeo dorato.

Mino, impaziente, bussava alla porta.

— Addio, Fanfan! Scrivimi, se mi vuoi bene.

Uscí e la porta si chiuse su un singhiozzo disperato.

Fanfan non scrisse, Furio non la cercò e il ricordo della piccola danzatrice che aveva il nome gaio come uno squillo e il pianto dolce come quello d'un bimbo ben presto svaní, travolto da altri ricordi, da altri amori.

* * *

L'estate si avvicinava e il cielo si faceva alleato degli aviatori. Mino, rincorrendo or una zazzera bionda ora una bruna, s'allontanava assai di frequente dalla base, e Furio lo rimproverava.

— Ho bisogno di stordirmi per non pensare a Clara.

— Scrive?

— No.

— Neppure per darti notizie di Elma?

— Nulla, silenzio assoluto!

— Cerca d'innamorarti, ma non entrare un'altra volta nelle case altrui. Guardati attorno, ci sono tante belle e brave figliole che aspettano amore e marito!

— Non è possibile! Anche se Clara s'allontana dal mio cuore, c'è Elma che mi lega.

— E allora trovati una distrazione, pensa al nostro volo, ma non farmi sciocchezze.

E mentre Mino si stordiva passando da un'avventura all'altra, Furio s'allenava per il gran volo, vagabondando per ore e ore nel cielo italiano. E su in alto, nella grande pace azzurra, turbata dal canto possente di un motore, lo raggiungeva qualche volta il sorriso di Perla, il pianto di Fanfan, e il ricordo della folle Lery. Ma subito tutto si perdeva scacciato dall'elica, portato via dal vento, lasciando unico padrone nel cuore del giovane il desiderio d'una gloria che doveva raggiungere per offrirla alla patria.

In uno stupendo mattino di primavera lasciò il nido per un lungo volo. Passò monti, paesi, città, avvistò un bel lago fatto come una grande Y, si buttò in quell'azzurro fasciato dal verde dei monti, s'abbassò fino a pochi metri dall'acqua. L'idrovolante andava diritto e sicuro e Furio, abbandonando i comandi, osservava beato la stabilità del suo apparecchio. S'alzò di nuovo, fu tutto nel sole: di nuovo si abbassò a bere la frescura dell'ombra.

Ville maestose e villini modesti, casette umili e giardini fioriti, boschi verdi e sentieri tortuosi, strade interminabili, sfilavano di corsa. Ecco un villino rosso, gaio come un monello, poco distante una grande villa bianca, severa come una vecchia dama incipriata; ecco un battello largo e lento come un'oca e barchette minuscole come balocchi.

Una folata d'aria profumata salí fino a lui e l'avvolse.

— Olea fragrans — mormorò Furio.

In quel momento i suoi occhi videro un villino

tutto fasciato dal glicine che gli si attorcigliava attorno avvolgendolo in grappoli profumati.

— Nido d'amore! — pensò il giovane con un po' di rimpianto. Ma il villino era già lontano e Furio, con una stretta virata, tornò indietro per vedere quella piccola e gaia casa tutta vestita di fiori gridellini.

Chiuse le persiane, deserto il piccolo giardino.

— Peccato — si disse Furio — sembra una casa per sposi in amore ed è deserta.

Portandosi nel naso il buon profumo dell'olea fragrans e negli occhi la visione della casa fiorita si diresse alla base. Ammarò e sporgendosi dalla carlinga chiese all'aviere che stava sullo scivolo:

— Cosa c'è laggiù?

E accennò un gruppetto di aviatori e di avieri.

— C'è un prete, comandante.

— Un prete? E che cosa vuole?

— Vuol volare.

— Chi l'ha mandato?

— Nessuno.

Furio, una gamba dentro e una gamba fuori dalla carlinga, guardò dalla parte del gruppo. Balzò a terra, dichiarò:

— Vado io.

Al suo apparire il gruppo fece ala e fra il grigio-azzurro delle uniformi spiccò il nero opaco di un abito talare. Questo abito vestiva un sacerdote quasi vecchio, piccolo e rotondo, ma con un viso luminoso per la chiara bellezza di due occhi azzurri.

— Ecco il capitano — annunciò Sant'Elmo —

parli con lui, reverendo, vedrà che non le abbiamo raccontato frottole.

Furio si presentò e il sacerdote disse il proprio nome.

— Don Fazio.

— Desidera, reverendo?

— Volare.

— Qui? Non è possibile. L'aeroporto è militare, gli apparecchi, militari; non possiamo portare borghesi in volo.

— Ma lei sa che io ho fatto due ore di montagna, per venire a volare?

— Ne sono spiacente. Le posso offrire un rinfresco, ma voli, no.

Allora il prete si staccò dagli altri; s'avvicinò a Furio, lo prese a braccetto e lo allontanò dal gruppo.

— Venga, figliolo, forse da soli ci capiremo meglio.

Lo trascinò giú verso il lago, e i rimasti videro Furio, chiuso nella tenuta di volo che lo rendeva ancora piú alto e forte, camminare vicino vicino al prete che sfarfallava in gonna nera e diceva:

— Sono un povero prete di montagna. Non avrò mai la somma necessaria per permettermi il lusso di un volo con un apparecchio civile. E lei non può capire cosa io provo qui dentro (e si diede una manata sul petto) solo all'idea di poter volare prima di morire. M'accontenti, comandante!

Negli occhi azzurri del prete c'era una ardente preghiera.

Furio, commosso, sorrise:

— Volerà, reverendo. Col mio apparecchio privato. È contento?

— Contento?! Dio la benedica, figliolo, Dio le renda merito per questa gioia che lei dà a un vecchio prete! Andiamo? Subito?

— Pazienti un momento. Bisogna che faccia portare fuori l'apparecchio.

— Bravo! Bravo! Io aspetto!

Furio diede gli ordini e poco dopo il bell'idrovolante lucente appariva, traballando un po' sul carrello.

— Posso salire subito? — domandò il prete che girava curioso intorno all'apparecchio, scrutandone ogni particolare.

— No, no: bisogna metterlo sullo scivolo! Un momento ancora.

Quando l'apparecchio fu pronto, per mettere il sacerdote nella carlinga fu necessaria una scaletta. E allorché fu sul proprio seggiolino, si guardò attorno beato, salutando gli aviatori che sorridevano.

— In bocca al lupo, reverendo — gridò Mino.

— Speriamo di no! — fu la risposta.

Furio, legandolo ben bene con la cintura di sicurezza, spiegò:

— È il nostro saluto augurale!

— Allora in bocca al lupo anche voi, figlioli! — rispose ridendo il sacerdote.

— Attento, reverendo, do il motore.

— S'accomodi.

— Mi dica prima dove vorrebbe andare.

— A Torralta.

— Torralta? Ma è in montagna! E dove ammaro?

— Non le dico di ammarare. Torralta è la mia parrocchia e io vorrei passare sopra il campanile della mia chiesa. È molto alto, mille e quattro!

— Il campanile?! — esclamò Furio.

— No, il paese.

— Non importa; vedrà che passeremo comodamente. Vuole il mio caschetto?

Senza attendere risposta Furio gli allacciò il caschetto.

— E lei, comandante?

— Io vado in capelli, non temo le correnti d'aria.

Un tenentino s'avvicinò a Furio e mormorò:

— Faccia gli scongiuri, comandante.

— Non dica sciocchezze — rispose burbero Furio; e al prete:

— Pronto?

— Via!

Furio non diede il motore in una volta, ma aumentò gradatamente, cosí da non sbalordire il buon prete con l'improvviso rombare.

L'idrovolante flottò, si staccò dall'acqua, con un largo giro prese quota, mise la prua nel sole, s'aggrappò al sereno per salire verso i monti. Andando Furio osservava il compagno che gli stava a fianco. Il prete guardava avanti come tutti coloro che per la prima volta volano, ma il suo viso aveva un'espressione lieta e sulle labbra un sorriso soddisfatto.

Ad un tratto il reverendo guardò giú, si volse a Furio con volto stupito e disse qualche cosa che il giovane non comprese. Forse il buon sacerdote si meravigliava d'essere già tanto in alto e con tanto poca fatica. Furio vide apparire la punta di un campanile aguzzo e rotondo come uno spegnimoccoli e pensò:

— Questo deve essere il campanile di Torralta, ma il mio prete non lo riconosce.

Allora gli batté una mano sulla spalla e gli fece cenno perché guardasse giú. Don Fazio guardò, poi spalancò gli occhi, poi rise e cominciò ad agitarsi. Furio passò basso sulla chiesina, girò attorno al campanile, salutò col canto del motore le poche e misere case.

Don Fazio, sporgendo la testa dalla carlinga e agitando un braccio urlava: urlava parole che forse erano di saluto.

Furio rideva, contento e un pochino commosso. Ma una virata un po' stretta troncò le effusioni di Don Fazio. S'accorse che il giovane riprendeva la via del ritorno, si volse un attimo, guardò ancora la sua chiesina e devotamente si fece il segno della santa Croce.

Guardò Furio, arrossí come un fanciullino. Allora il giovane fissò il cielo azzurro e levando la mano destra se la portò alla fronte, poi al petto, alla spalla sinistra e alla destra. Il prete, prima ch'egli potesse impedirlo, afferrò quella mano che aveva tracciato il santo segno, e la baciò. Negli occhi azzurri del sacerdote, e negli occhi bruni del pilota, brillavano le lacrime, lacrime che resero per un istante eguali quei due uomini cosí diversi.

Su, nello spazio, poco alti sopra la casa di Dio, uniti nel segno santo, il prete povero e umile era uguale al giovane duca; su, nell'infinita purezza del regno azzurro, si capivano e si univano nella fede il povero servo di Dio vissuto nella preghiera e nella castità e l'ardito e stupendo giovane che della vita conosceva ogni gioia, dell'amore ogni piacere, ogni tormento, ogni stanchezza.

Il bel lago si stendeva dolcemente ondulato, pronto a riceverli. Tacque il motore e don Fazio non si mosse.

— Eccoci arrivati, reverendo — avvertí Furio.

— Peccato! — mormorò il sacerdote.

Furio l'aiutò a scendere e pensò, con un po' di tristezza, alle due ore di montagna che il prete doveva affrontare per ritornare al suo paesino.

Furono tutti attorno a don Fazio.

— Come è andata? S'è divertito? Ha avuto paura? Vertigini?

— M'è parso d'andare in Paradiso portato da un angelo — dichiarò il prete.

C'era tanta sincerità, tanta gratitudine nelle sue parole che nessuno osò sorridere.

— E a lei, capitano, che devo dire?

— Nulla, reverendo. Tutti quelli che amano l'aviazione sono nostri amici e nostri portafortuna.

— Dio lo voglia.

— E ora, lei dovrà rifare tutta quella strada a piedi?

— Come vuole che ci vada, in automobile?

— Non c'è una strada carrozzabile che porta a Torralta?

— Fino a Torralta, no. La strada finisce al Santuario, poi in un'ora di mulattiera s'arriva lassú.

— Allora io l'accompagno in macchina fino al Santuario.

— In automobile? Ma non permetterò mai!

— Guardi, reverendo, c'è la mia macchina lí — osservò Mino. — L'accompagnamo fin dove si può.

— Non permetto, non permetto, è troppo.

— Ma venga! Non abbiamo nulla da fare e una gita non ci spaventa.

Il povero prete, confuso, commosso, si lasciò spingere nell'auto che conosceva i dolci occhi di Clara, e a Furio, seduto al suo fianco, confessò:

— Una giornata cosí non credevo di viverla.

Mino lanciò la macchina sulla salita e poco dopo alcuni contadini vedevano con stupore scendere il parroco di Torralta da un'auto lussuosa e dirigersi al Santuario accompagnato da due ufficiali vestiti di bianco.

— Non conoscono questo Santuario?

— No.

— Vogliono entrare?

— Sí.

Entrarono.

Una chiesa semplice e severa. Pochi banchi, poco oro. Ma la cappella della miracolosa Madonna era uno splendore.

Piccoli cuori d'argento, e cuori larghi come piatti; modeste collane d'oro e rutilanti gioielli erano i *voti* offerti alla Madonna, in proporzione alla ricchezza del beneficato. E, torno torno, quadri votivi, offerte di ogni genere. Una gruccia, un fucile con le canne spaccate, una scheggia di proiettile. In un quadretto, la fotografia di una bella bimba, un piccolo cuore d'argento, un pennellino per la gola. Con grafia incerta, su un cartellino, poche righe:

« Nannina Tibaldi d'anni quattro, salvata dalla Madonna miracolosa, venne qui dal Congo lontano per offrire questo umile voto ».

I due giovani si guardarono in viso e Mino impallidí. Pensava all'altra bimba lontana, alla piccola sua creatura che non gli apparteneva.

— Vogliono conoscere il rettore del Santuario? — domandò Don Fazio.

— Sí, reverendo.

Il prete sfarfallò via nella sua veste nera. Riapparve accompagnato da un sacerdote giovane, alto, forte, bello. I due giovani lo guardarono stupiti.

— Padre Ildebrando, le presento questi due piloti, che...

E raccontò velocemente le meravigliose vicende di quella giornata.

Sorridendo, di un sorriso che gli illuminava il viso, Padre Ildebrando ascoltò e poi chiese:

— Vogliono la benedizione? È tutto ciò che io posso dare.

Furio di Villafranca e Mino Sant'Elmo seguirono il prete, s'inginocchiarono davanti alla balaustrata dell'altare. Furio ricevette la benedizione a capo chino, Mino si calcò le mani sulla faccia e rimase cosí, assorto in una preghiera e in un pensiero, certo l'uno e l'altro rivolti alla sua bambina di laggiú.

Lo richiamò la voce di Furio che diceva:

— Vorrei fare un dono alla chiesa: ecco, Padre.

Il giovane sacerdote si trovò nelle mani due biglietti di banca, uno di Furio e uno di Mino.

— Dirò delle messe secondo le loro intenzioni. Vogliono dirmi i loro nomi perché io possa segnarli nell'elenco degli offerenti?

— Per me — disse Mino — segni Elma.

— Elma?

— Sí, reverendo, Elma. È il nome di una bambina lontana, — precisò Furio temendo che il prete pensasse a una donna o a un amore.

— E lei?

— Aura di Villafranca, mia madre!

— Villafranca: nome glorioso.

— Grazie.

— Grazie a loro della visita e del bene che hanno portato.

S'avviarono: Furio e don Fazio uscirono. Mino rimase indietro con don Ildebrando.

Tremando, il giovane confessò:

— Ho commesso un peccato grave: sono entrato in una famiglia non mia, ho rubato la donna altrui...

— Ed è nata Elma — continuò il prete con voce sicura.

— Sí, ma ora è lontana e non so piú nulla di lei. Cosa posso fare per vederla senza commettere dell'altro male?

— Nulla, attendere rassegnato che Iddio le conceda la grazia di incontrare la sua piccina. E questa attesa, che è il suo castigo, la farà assolvere dal suo peccato. Torni quassú quando le parrà d'essere troppo punito.

I due giovani, quello che alla vita aveva chiesto tutto, anche ciò che non gli apparteneva, e quello che non aveva domandato che povertà e preghiera, si strinsero la mano e si guardarono negli occhi.

— Arrivederci, fratello — fu il sommesso saluto di Ildebrando.

Fuori, don Fazio parlava ancora del suo volo. Quando i due giovani furono in macchina il vecchio prete trasse dalla tasca un gran fazzoletto giallo, e sventolandolo gridò:

— Arrivederci, ragazzi! Vi manderò i fichi del mio paese. Sono i piú buoni fichi del mondo!

Giú alla svolta, Furio sporse il capo e vide, ritte in mezzo alla strada, le due figure scure: alta, diritta, immobile quella di Padre Ildebrando, tonda, piccola e agitata quella di don Fazio che sventolava ancora il suo fazzoletto giallo.

L'indomani un ragazzotto portava all'aeroporto un panierino: c'erano dentro dei meravigliosi fichi e un biglietto che diceva:

« Al marchese di Villafranca, un povero prete, in cambio di un volo ».

* * *

Quell'anno scappò via lesta la primavera, presto inseguita dall'estate, subito raggiunta dall'autunno.

E venne l'inverno con i suoi malumori.

L'aeroporto s'ammantò nella nebbia e gli apparecchi rimasero qualche volta inoperosi.

Amelia era diventata la signora Ministi e aveva seguito il marito a La Spezia dove il giovane era stato comandato. Furio l'aveva vista partire sorridente e raggiante, lieta di appartenere a un giovane oscuro figlio dell'aria, e non ne aveva avuto alcun rimpianto.

Mentre passava da un capannone all'altro, fra gli apparecchi con le eliche tese nel riposo e i motori muti, Furio aveva nel cuore un'ansia e una speranza. Aveva chiesto al Governo il permesso di tentare la formidabile prova e il permesso era giunto. E con lui, pilotando un apparecchio simile al suo, altri otto sarebbero partiti. Gli idrovolanti erano pronti, davano una media di 400 Km. orari, erano sicuri, docili alla manovra, stupendi nella linea. Furio, capo squadriglia, avrebbe avuto Mino primo d'ala a sinistra. Il percorso raggiungeva i 50.000 Km. I due giovani calcolavano di poter fare una media di 5.000 Km. il giorno e di coprire in 10 giorni un percorso cosí imponente.

Bisognava studiare il tracciato, calcolare le distanze, sfruttare tutti gli specchi d'acqua, pensare agli imprevisti, ai rifornimenti, alle mille cose che possono accadere durante un cosí grande tratto e soprattutto allenarsi per la formidabile prova.

Curvi sulla carta, Furio e Mino si scambiavano le loro idee e le loro impressioni.

Ad un tratto Furio s'alzò, piegò con cura i fogli, li ripose e a Mino disse:

— Andiamo, ho bisogno di muovermi.

— Dove vuoi andare? Nevica.

— E allora parliamo. Clara?

— Nulla: qualche cartolina e una piccola lettera di Elma.

— Scrive? Mi aveva promesso una lettera. Ma è già donna, Elma, e può non ricordare le promesse.

— Vorrei andarla a baciare, ne ho un desiderio folle.

— Ora non è il momento opportuno; dopo, come premio alla vittoria. Perché sarà una vittoria. Ma ci pensi, tu? La nostra sarà una dimostrazione che gli altri metteranno in pratica e allora... allora, caro, solo per le lumache esisteranno distanze.

Furio s'avvicinò alla finestra e guardò fuori.

— Quanta neve e quante belle sciate farei se ne avessi la possibilità!

— Perché non ti prendi un po' di libertà?

— Per che farmene? Se dura cosí io comincio l'allenamento egualmente. A bassa quota, in vista del lago. È una sofferenza, questa inoperosità.

— Sei nervoso, da qualche giorno; perché?

— Non so. Stanotte ho sognato Lery. Mi pareva di essere con lei in una piccola casa tutta coperta di glicine: una casa che ho visto un giorno passando in volo sul lago di Como.

— Per noi, e per molto tempo, non dovranno esistere né Lery, né case vestite di fiori.

— Hai ragione, ma non posso comandare ai miei sogni. Forse è un bisogno d'amore quello che io sento. Be', è inutile pensarci. Usciamo.

S'avvolsero nei grandi mantelli e uscirono.

Silenzio nel paese, e neve. Neve dappertutto, anche sulle punte aguzze delle cancellate, anche vicino alla tranquilla acqua del lago, che fra tanto bianco pareva scura scura.

L'aeroporto era addormentato. Gli avieri forbivano gli apparecchi, gli ufficiali chiacchieravano nella loro sala e nessun canto di motore turbava la grande pace.

— Sembra il regno dei morti — osservò Furio scontento.

Poi, rivolgendosi al proprio attendente e buttandogli berretto e mantello, ordinò:

— Il caschetto e la combinazione di volo.

— Dove vai? — domandò Mino.

— In volo. Se rimango a terra, scoppio.

— Vengo con te — decise Mino sbarazzandosi del mantello.

Allora due giovani tenenti, due sottotenenti, tre sottufficiali, si fecero intorno a Furio. Erano i piloti della squadriglia veloce:

— Comandante, — pregarono — ci lasci volare.

Poco dopo gli apparecchi da caccia saettavano nella neve fugando le farfalle candide. E Furio si prendeva sulla faccia i baci gelidi della bianca signora che gli veniva incontro e l'avvolgeva in un mantello freddo e morbido come l'abbraccio di una bella donna senza amore.

Passò anche quell'inverno e venne una nuova primavera.

Un giorno, era il 31 marzo, Furio fu stupito vedendo giungere i suoi genitori.

— Cosí? All'improvviso?

— Siamo venuti a portarti i nostri augurî.

— Augurî?

— È il tuo compleanno, Furio — osservò Aura con voce piena di rimprovero.

— Oh, me ne ero scordato. S'invecchia, papà!

— Vecchio, tu?

— Piú vecchio di te, sono, mio caro papà, ma sono felice d'aver vissuto cosí, intensamente, velocemente, con quella gioia e quell'entusiasmo che tu, certo, non conosci.

— Dei rimproveri?

— Me ne guarderei bene! Rimanete qui? Fino a quando?

— Poco, io, — rispose Momo di Villafranca — qualche settimana tua madre.

— Se non ti darò noia!

— La mia mamma, la mia mamma darmi noia! Piuttosto, avrò qualche rimprovero perché ti crederanno la mia... amica. Sei bella, giovane, bionda, sei la più bella delle mamme.

— Zitto, zitto, ragazzaccio! Mi difenda lei, Mino.

— Furio ha ragione, duchessa.

Momo partí l'indomani, Aura rimase.

— Mammina, come puoi adattarti qui? — le chiedeva Furio.

Furio comprendeva quello che accadeva nel cuore di sua madre. Sapendolo ingaggiato in una grande prova la povera creatura voleva vivere accanto al figlio per soffrire meno e per sentir palpitare piú vicino quel grande cuore che gli aveva posto nel petto.

La sera, Aura, Furio e Mino andavano a Milano a cena e a teatro. I giovani si divertivano, s'interessavano a tutto, chiedevano il giudizio di Aura su un paio di gambe femminili e la costringevano a frequentare con loro le sale notturne dove si ballava e beveva.

— Ma che cosa penserà la gente di questa vecchia matta? — chiese Aura una sera, in un ritrovo notturno.

— La gente penserà che sei un'elegante e bella signora, niente altro. Ma ti prego, mamma, non mettere piú questo abito da sera; cosí sei una duchessa da leggenda, mi metti in soggezione e mi costringerai a prendere a schiaffi quell'asino laggiú che ti sorride e ti guarda alzando il calice.

— Per amor di Dio, Furio, sta cheto — rise Aura guardando con orgoglio quel suo gran figliolo sul quale convergevano tutti gli sguardi femminili.

Bello era Furio, nel pieno vigore della forte giovinezza bionda; bello per i grandi occhi frangiati, i denti bianchi e il maschio viso bruciato dal sole e dall'aria.

E fra tanta esuberanza maschile qualche cosa di molto dolce, di gentile, che era in lui, attirava, e chiamava l'affetto e l'amore.

Tutti, dall'aviere umile al generale, dal bimbo alla dama, tutti avevano subíto e subivano il fascino di quella meravigliosa giovinezza piena d'entusiasmo.

Quella sera Furio era gaio; aveva mandato al tavolino di due piccole donne ignote dello spumante e le modeste lucciole gli sorridevano. Aura se ne accorse.

— Vuoi andare, Furio?

— Ma ti pare, mammina? Ho dato da bere a due povere dimenticate donne che avevano sete: null'altro.

— È sempre cosí saggio il mio Furio? — domandò Aura a Mino.

— Sempre.

— Tu menti e sai di mentire. Mino potrebbe narrarti di certe acrobazie eseguite per me a Trieste.

— Sciocchezze — protestò Mino — sciocchezze che non devono essere ricordate.

— Io vorrei una piccola nuora, nobile o borghese, ricca o povera, non importa — mormorò Aura.

— La troverò, mammina, dopo, dopo il grande volo. Va bene?

Un'ombra passò negli occhi di Aura, ma sparí, scacciata da una esclamazione di Furio:

— Popò!

— Popò? — ripeté Mino. — E chi è?

— Non ricordi? A Porto Ceresio... quelle due ragazze...

— Ah ricordo, ricordo — rise Mino. — E dov'è? S'è messa in carriera?

— No.

Popò, seduta a un tavolino con una donna anziana e un giovanotto un po' impacciato, si comportava veramente bene.

Composta, poco dipinta, seria, guardava in giro

curiosa e distratta. I suoi occhi si fissarono su i due ufficiali; arrossí e volse il capo.

— Ho capito, — commentò Furio — è con la madre e con il fidanzato. Non ci riconosce piú.

Ad Aura narrarono la piccola storia di quella sera lontana, colorandola con la descrizione di Popò e di Frilli in amore. Attenta, divertendosi, Aura ascoltava e ascoltando guardava il figlio che rideva. Rise anche lei, rasserenata, pensando che nessun pericolo poteva esistere per chi, come Furio, viveva in bellezza, in onestà e in serena coscienza.

E col cuore leggero, pronto al distacco, un mattino Aura ripartí per il castello di Villafranca.

* * *

Da due anni Furio e Mino vivevano cosí vicini e uniti che uno avrebbe potuto dire con precisione il numero delle sigarette che l'altro fumava.

Nulla di strano dunque se Mino un giorno cominciò a impensierirsi accorgendosi che Furio gli sfuggiva.

— T'ho fatto qualche cosa? — gli chiedeva talvolta.

— Nulla: ti giuro, Mino, ti do la mia parola di soldato, non ho nulla con te. Tu sei l'amico di prima, ma io ho bisogno d'essere un po' solo. Perdonami.

E per essere un po' solo balzava su un idrovolante e se ne andava.

— Dove andrà? — si chiedeva Mino comprendendo che quei voli non erano voli di allenamento.

Non osava chiedere e tanto meno inseguire l'amico per le strade del cielo.

Ma un giorno, vedendo Furio in automobile, al volante della possente macchina da corsa, non ebbe piú dubbi:

— Vai da una donna, Furio?

— No.

— Tu sai, Furio, che l'allenamento esige tutta la nostra energia e tutta la nostra calma. Anch'io mi son fatto forte...

— Lo so, addio.

E Mino ebbe appena il tempo di scansarsi che la macchina, con un balzo, era partita.

Sant'Elmo, rientrando solo all'albergo, aveva le lacrime agli occhi. Soffrí per molti giorni e poi gli parve che Furio ritornasse l'amico di prima.

Lieto e sereno come una volta, fedele al lavoro, scrupoloso nell'allenamento, Furio aveva ripreso la vita normale e in idrovolante non scappava piú. Ma ogni sera spariva con la sua potente macchina e rientrava alle prime ore del mattino. Qualche volta riprendeva con Mino le osservazioni sulle carte, parlava del gran volo entusiasmandosi, ma non diceva mai niente delle sue gite notturne.

Mino non chiese piú, ma prima di coricarsi entrava nella camera dell'amico. Il letto era preparato per la notte, il pigiama spiegato sulle coltri in attesa di Furio, come il cuore dell'amico che desolatamente si chiedeva:

— Dove sarà?

PARTE SECONDA

— Mustafà ! — chiamò la voce acuta di Anna.

Mustafà, col musino all'aria, guardava le rondini pazze di sereno.

— Mustafà ! Mustafà !

Il nome salí dal giardino, giunse al primo piano della villa, corse sulle acque del lago, ma il bel gattone d'Angora non si mosse. Si limitò a guardare giú, commiserando certo quella sua padrona che non lo vedeva.

La voce acuta chiamò ancora:

— Mustafà ! Mustafà !

Allora le griglie di un balcone al primo piano s'aprirono, una bella fanciulla uscí e disse:

— Non t'affannare, Zianna : verrà. Oh ! eccolo sul davanzale della tua finestra; lo vedi?

Zianna accomodò gli occhiali sul naso e osservò:

— È Mustafà? L'ho creduto l'asciugamani ! Scusami, Renata, dormivi? T'ho svegliata? Scendi?

— Sí, Zianna, subito.

Riaccostò le griglie, entrò nella camera della zia, prese Mustafà fra le braccia e scese con lui.

— Briccone! l'accolse Zianna. — Rispondi quando ti chiamo! — Poi guardò Renata e domandò:

— Ancora un abito nero?

Renata sorrise, ma non rispose. Per un momento tacque anche Zianna, poi con voce dura parlò:

— Non credo che tu voglia portare un eterno lutto per tua madre. Per tuo padre, mio fratello, ti dispenso io.

— Vuoi sgridarmi, zia?

— No, cara, no, Renata.

— E allora?

— E allora non voglio che tu continui a vivere nel ricordo di brutte cose sofferte: voglio che tu cominci, finalmente, a pensare al tuo avvenire.

— Ma che avvenire posso avere io? Ah, zia, non farmi dire, non farmi pensare!

Si calcò le mani sulla faccia e s'accasciò sullo sgabello basso ai piedi di Zianna.

Quello che era accaduto ripassò nella sua mente con spietata esattezza. Rivide la bella casa di Milano, la mamma bellissima e il padre crucciato: lei, bambina ancora, costretta ad assistere a scene terribili fra la madre che usciva a tutte le ore e il padre che voleva trattenerla. Ah, come reagiva la sua bella mamma, come diventavano cattivi quei suoi stupendi occhi, quali volgarità uscivano da quella piccola bocca, come lampeggiavano i denti bianchi nel ghigno! E lui, il suo papà, cosí biondo, cosí giovane, come s'accasciava senza volontà davanti alla furia di quella adorata belvetta! Ricordava: un giorno, dopo una scena terribile, il babbo aveva chiamato telegraficamente la sorella Anna.

Zianna era arrivata con un viso livido di sdegno, e aveva detto al fratello:

— Te lo meriti. Le mogli non si scelgono fra le canzonettiste, ora l'hai, tientela. Sei stato un imbecille, io non posso fare nulla per te. Mi porto via Renata. Me la prendo, non voglio che cresca gracile e spaurita fra le cameriere e i vostri litigi. Me la prendo, e se oserete richiamarla, io dirò forte che per legge una bimba non può vivere con un pazzo e una degenerata.

E Renata, con la zia vecchia, danarosa e dolcemente brontolona, era partita.

Nella quiete della villa che Zianna possedeva sul lago, aveva cominciato a rifiorire.

Veniva papà a trovarla ogni settimana e parlava con Zianna di tante cose che ella non poteva capire: parole strane le sibilavano all'orecchio come frustate sparate nell'aria.

— Disonore, rovina, schifo! — diceva il papà.

— Scacciala, vieni quassú, sii uomo — rispondeva Zianna.

Papà prometteva, ma la settimana dopo ritornava piú accasciato di prima. Poi non venne piú.

Renata rivedeva Zianna in lacrime e riudiva la parola scandalo. Molto piú tardi seppe: la mamma, sorpresa con un uomo, era stata ammazzata dal papà, che subito dopo si era ucciso.

Questa tragedia le aveva dato un carattere pensoso, triste, e senza sorrisi. Docile, intelligente, buona e bellissima, era diventata l'unico, orgoglioso amore della vecchia zitella.

Aveva viaggiato, studiato, ed era diventata un'arpista di raro valore. Ma rimaneva estranea a tutto ciò che era mondo e vita: in ogni uomo vedeva una insidia, nella sua stessa bellezza il pericolo. A diciotto anni Renata aveva per suo mondo la villa vestita dal glicine, e per divertimento la piccola barca bianca. Unica passione, l'arpa dorata, unico affetto, Zianna.

Era alta, con forme pastose e perfette, aveva un purissimo viso di Madonna e una gran chioma ricciuta e bionda che l'avvolgeva tutta.

— Perché dovrei sposarmi? — diceva sempre a Zianna. — Sto bene con te, tienmi con te. Io ho paura della vita.

E gli anni passavano cosí, ovattati di felicità pacata, tranquilla e senza scosse.

Quel giorno di primavera Renata e Zianna avevano ravviato le aiuole, aiutate da Paolotto che aveva le gambe curve come aghi per sutura.

Dopo il tè, che Martina serviva con aria preoccupata, la fanciulla era salita nella propria camera. Qualche volta il bisogno di silenzio e di raccoglimento diventava per lei invincibile. Dai pensieri e dai ricordi l'aveva distolta Zianna che chiamava il diletto Mustafà.

— E ora non crucciarti: se vuoi fare un piacere a me alterna i colori dei vestiti e se vuoi fare quello che ti suggerisce il tuo cuore, fallo. La padrona sei tu, Renata.

La giovane s'alzò, si eresse in tutto lo splendore della persona, portò le mani alla nuca e liberò la grande chioma.

Rotolò sulle spalle la cascata d'oro e avvolse tutta la fanciulla fino ai piccoli piedi.

— Pesano, pesano, questi capelli! — protestò arieggiandoli.

— Se li tagli mi fai morire — assicurò Zianna.

— Non li taglio, zia, sta tranquilla. Mi parrebbe di far male al mio papà. Quando era tanto triste mi prendeva fra le braccia e mi baciava fra i capelli, povero papà!

Vi fu un silenzio.

— Che cosa pensi di tanto brutto? — domandò Zianna preoccupata.

— Nulla, ascolto.

S'udiva, indistinto, il rumore di un motore.

— Un aeroplano — disse Zianna che era assai miope ma aveva un ottimo udito.

— Io lo vedo, e tu?

— No, dov'è?

— Lassú, dietro al Castel Dardona.

Zianna appoggiò le mani alla balaustrata che sorgeva dall'acqua e cercò:

— Non vedo nulla.

— Nemmeno un uccello, zia?

— Sí, un uccellone, lassú, lo vedo.

— Ecco: quell'uccellone è l'aeroplano — rise la fanciulla.

Sorrise anche Anna e il suo faccione bianco, brutto, intelligente, s'illuminò di quel sorriso.

— S'abbassa, s'abbassa ancora.

Il rumore fortissimo schiaffeggiava il gran silenzio.

— Lo vedi? È sulla punta di Torno. Eccolo zia, ah! come è basso, pare cerchi qualche cosa.

Passò cosí vicino, l'argenteo idrovolante, che le donne ne ebbero l'aria sulla faccia.

Appoggiata alla balaustrata, avvolta nel suo manto biondo, Renata guardava l'apparecchio che si allontanava.

Ma giù, davanti a Lezzeno già fasciato d'ombre, l'idrovolante virò stretto, e tornò indietro. Mentre ripassava davanti al villino per allontanarsi e sparire, parve a Renata che una mano dalla carlinga si alzasse a salutare.

— Bel matto! — mormorò Zianna. — Ma che cosa cercherà?

— Nulla, probabilmente. Si diverte, beato lui!

— Vorresti volare?

— Ah, se potessi! Ne ho una voglia, zia!

— Sposa un aviatore!

— Non sposerò nessuno io, il matrimonio mi fa paura.

— Non ti devi basare sul matrimonio di tuo padre.

— È la stessa cosa. Allora era lei che tradiva ed era stanca, a me potrebbe capitare un uomo col carattere di mia madre, e io dovrei soffrire come ha sofferto il mio papà...

— Non dire sciocchezze — interruppe Anna — e domandati cosa faresti se un giorno ti dovessi innamorare.

— Io? Se non vedo nessuno! Se fuggo ogni occasione di conoscere gente!

— Cara mia, le cotte vengono senza preavviso. Anch'io ho avuto la mia.

— Tu?

— E perché no? Brutta come sono e come ero m'innamorai di un giovane tenente. Gli ufficiali allora avevano una divisa tanto lucente e coreografica che dava il capogiro e abbagliava. Ma presto m'accorsi d'essere amata per i miei quattrini. Rinunciai al bel tenente, tenni per me il mio danaro. Piansi un po', ma se oggi sono felice lo devo a quelle lacrime.

— Povera Zianna, che hai avuto il peso di questa Renata tutto per te!

La vecchia circondò con un braccio la fanciulla alla vita, e, poiché Renata era assai piú alta, disse con voce forzatamente severa:

— Abbassati, e baciami subito se vuoi essere assolta dalle enormità che vai dicendo.

Renata baciò e ribaciò quel faccione bianco, dove gli occhiali sembravano due spenti fanali d'automobile piantati nel mezzo della luna.

L'idrovolante tornò ogni giorno, e Zianna, Martina e Paolotto, detto Gambastorta, quando udivano il rombo del motore correvano in giardino e agitavano disperatamente un fazzoletto o un cencio per salutare cosí l'ignoto pilota.

Ma Renata, quando sentiva il ronzare dell'apparecchio, se era nel giardino entrava in casa.

Zianna, che aveva intuito il perché di questi voli, scherzava:

— Passa per me, forse i miei occhiali lo hanno abbagliato!

— Va bene, ma se un giorno ammarerà, io spero che tu non lo inviterai.

— E se fosse un buon partito per me?

— Non scherzare, zia, mi fai male.

Un pomeriggio l'idrovolante passo, ripassò, attorno alla casa, s'abbassò sul giardino, con le grandi ali sfiorò la balaustrata.

Dalla carlinga una mano s'alzò per salutare e un sorriso stupendamente bianco apparve nella cornice del caschetto.

— Perché non vieni a salutare anche tu, Renata?

— Io non saluto chi non conosco.

La risposta scoraggiò la buona Anna.

Ma un mattino, a ora insolita, Renata si destò spaventata. L'apparecchio rombava vicino e dal giardino salivano grida. Balzò dal letto, e tutta avvolta nell'ampia camicia e nella chioma d'oro corse al balcone, spalancò le griglie e guardò in alto. L'apparecchio d'argento, comandato da un formidabile pilota, disegnava nel sereno i piú pazzi ghirigori. Zianna, Martina e Paolotto guardavano, seguendo con grida d'ammirazione e di paura quel folle volteggiare.

L'idrovolante ad un tratto scese a piombo, risalí, s'impennò, si capovolse, si rimise in linea di volo, ridiscese in paurosa picchiata, poi tracciò nell'aria un enorme V.

Affascinata, col cuore stretto, Renata guardava su, estatica.

— Scendi, Renata, — pregò Zianna.

— Perché?

— Non vuoi prendere il caffè con me?

— Sí, zia.

Sulla camicia chiuse una vestaglia che la coprí fino ai piedi nascosti nelle babbucce di seta chiara, lasciò i capelli sulle spalle e scese nel giardino.

L'apparecchio non piroettava piú.

Appoggiata alla balaustrata Renata ne seguiva il volo tranquillo.

L'idrovolante s'abbassò, fece un gran giro, ritornò verso la villa e a un tratto la fanciulla non udí piú il rombar terribile del motore. L'apparecchio, con l'elica ferma, passò come una freccia davanti a lei e una voce dalla carlinga gridò:

— Buon giorno, sole!

Poi il motore riprese la sua canzone, la macchina alata si mise in quota e scomparve dietro una nuvola che s'aprí per lasciarla passare.

Renata, con gli occhi fissi e un'ombra sul bel viso di Madonna, rimase a guardare il punto dove l'apparecchio era sparito.

* * *

L'indomani il pilota ignoto passò poco alto sul giardino: un volto, un braccio, si sporsero dalla carlinga e qualche cosa venne lanciato fuori.

— Una bomba — urlò Martina scappando.

— Una lettera d'amore — gridò Zianna.

S'abbatté al suolo, provocando la fuga vergognosa di Mustafà, un gran fascio di rose rosse.

Zianna, raggiante, si precipitò a raccoglierlo.

— To' — scherzò — li credevo destinati a me e invece sono per una signorina bionda.

Legata ai fiori con un nastro tricolore una lettera: sulla busta una scrittura piccola, nitida, aveva tracciato:

« Alla signorina dalla chioma d'oro ».

— Renata, credo sia per te. Io non ho chiome bionde e neppure Martina.

— Non conosco quel signore, io.

— Eppure fanciulle bionde qui non ce ne sono altre. Leggi, almeno.

— Leggi tu.

— Nemmeno una lettera che viene dal cielo t'interessa?

— Leggi, Zianna, o butta tutto, lettera e fiori, nel lago.

Zianna si accomodò i fanali sul naso, lacerò la busta e lesse:

« Chi sono, lo sa: un aviatore. Le interessa il grado? Capitano. Le interessa lo stato di servizio? Sette anni di volo, una medaglia al valore. Vuole il nome? Furio di Villafranca ».

— Piccolo delinquente simpatico! Furio di Villafranca. L'asso famoso! Il piú grande acrobata di Italia. Tu lo sai, vero?

— Non so, non mi riguarda. Leggi, Zianna. Voglio sapere cosa pretende quel maleducato.

— Non t'interessa e vuoi sapere?

Zianna continuò:

« Sono libero e non ho mai amato, fino a pochi giorni fa. Oggi nei miei voli mi segue e m'accompagna una grande chioma bionda e i miei sogni riposano nell'oro d'una treccia. Questa che le lancio dal cielo non è una stupida lettera d'amore. Gli uomini come me non hanno il tempo di scriverne. Vuole farmi sapere se un giorno potrò ammarare davanti alla sua casa e salire nel giardino?

« Se sí, domani, quando passerò, sventoli qualche cosa di bianco. Se no, perdoni. Continuerò a portarmi negli occhi lo splendore dei suoi capelli d'oro. Bacio le mani.

Furio di Villafranca ».

— E questa è una corona ducale! Renata, ti piomba un duca dal cielo e tu risponderai no, vero?

— Si capisce!

— Ma perché?

— Perché io non voglio conoscere nessuno, nemmeno questo duca che si permette d'essere maleducato.

— Ora sei ingiusta, Renata.

— Ma Zianna, tu sai le mie idee!

— Le so, e le ho sempre approvate in massima, ma questa è un'idea che non approvo. Cosa ti chiede questo giovane che tutta Italia ammira? Nulla, chiede di vedere piú da vicino due trecce d'oro. Sarà anche lui, come noi, un nemico dei capelli corti e vorrà ammirare la rarità che rappresenti.

— Sciocchezze!

— Renata, non si rifiuta un favore a chi ogni giorno arrischia la vita.

— Perché mi tormenti, Zianna?

— Perché? Perché mi pare cosí bello tutto questo! Sí, lo so, di tanto in tanto salta fuori la zitella sentimentale, non me ne fare una colpa. Questa lettera cosí semplice, cosí onesta, che viene dall'alto, lanciata da un valoroso... Come è strana! Senti, Renata, fammi una cortesia, fallo per me, lasciami vedere quest'uomo da vicino. Non ti sarà poi difficile dirgli di non ammarare piú e di passare ben alto. Mi fai questo piacere?

— Come vuoi tu.

* * *

Armata di un asciugamani, Zianna passeggiava nel giardino. Poco lontana da lei, Renata leggeva. Indossava uno dei suoi semplici abitini scuri e il volto roseo, serio, eppure sereno, non era stato mai cosí bello.

Zianna era in pompa magna.

— Perché non ti metti un vestito chiaro, elegante?

— Per lui?
— Per far piacere a me.
— Lasciami cosí, Zianna. Sono brutta?
— Sei bella, fresca, sei uno splendore, ma sei lontana, fredda, seria, troppo seria.
— Zianna, Zianna... — rimproverò Renata.
— Non t'arrabbiare. Ascolta!
— È lui — mormorò Renata; e un rossore improvviso le salí alle guance.
Zianna gridò:
— Martina, dammi i fanali.
— Ma li ha già, signorina.
— Ah, perbacco, è vero!
Rapidamente deterse le grosse lenti e guardò su.
— Eccolo, Zianna.
Lontano, verso Castel Dardona, era apparsa una linea bruna. Un istante dopo, ben distinto, giunse fino a loro il canto del motore.
— Bisognerà andarlo a prendere con la barca — osservò Zianna; — non vorrai che si butti nell'acqua. Paolotto, mettiti in barca e aspetta presso la scala. Quando l'idrovolante ammarerà e sarà ben fermo, farai scendere il pilota.
— Un idrovolante? Un pilota? Scherza?
— Cammina!
— Volo.
L'apparecchio oramai era sopra la casa.
— Sventola, Renata, forza!
La fanciulla prese l'asciugamani di Zianna e lo sollevò.

— Ma non cosí, non cosí! Cosí!

Strappò dalle mani di Renata il drappo e prese ad agitarlo furiosamente.

Subito l'apparecchio s'abbassò, eseguí una capriola ardita, ammarò poco lontano dalla villa.

— Vola, Paolotto!

L'uomo, felice, faceva realmente volare la barca bianca. Quando fu presso l'idrovolante, gridò:

— Vuol venire con me, signor aviatore?

— Sí, fatti sotto e attento a non urtare — rispose una voce maschia che arrotondava un po' l'erre.

Dall'apparecchio balzò nella barca un uomo che rimase in piedi col viso rivolto alla villa.

Paolotto s'avvicinò, fu subito presso il giardino.

A capo scoperto, chiuso nella divisa grigio-azzurra che disegnava il corpo aitante e slanciato, Furio salí i pochi gradini.

Renata comprese che per la prima volta si trovava di fronte a un *uomo*.

Zianna, l'asciugamano sotto un'ascella, sorrideva di un sorriso convulso; ma si riprese, buttò lo straccio, andò verso la scala.

— S'accomodi; no, non sono io la signorina bionda: eccola.

In quel momento Furio metteva piede nel giardino e Zianna gli spingeva incontro la ragazza. Pallida nel suo vestito scuro, nella ricchezza della gran chioma bionda, bella e senza sorrisi, Renata tese la mano. Furio s'inchinò, poi, drizzandosi e guardando Renata, mormorò:

— Che splendore!

— Renata Landi. La mia cara zia.

— Zianna per tutti, e anche per lei, se vuole.

— Grazie. Devo ripresentarmi?

— Non occorre, duca — disse Zianna; — io la conosco da un pezzo, in fotografia, ben inteso.

— Lei è tanto buona signora... signorina...

— Signorina! Bell'esemplare, vero? Non si confonda, io mi piaccio.

— E ha ragione, — rispose Furio, sorridendo.

— Però non vorrà dirmi d'essere sceso dal cielo per me.

— Zianna! — pregò Renata.

— Senta, comandante, io sono una zia moderna e vado a prepararle personalmente una bibita famosa. Lei, se può, faccia parlare Renata.

E se ne andò, dopo aver passato affettuosamente una mano sulla testa china della fanciulla.

— Ma guarda! — esclamò prima di entrare in casa. — Non le ho presentato Mustafà.

Sollevò il gattone, lo portò al giovane, che gli strinse una zampina:

— Fortunato di conoscerla, bellissimo Angora!

— Bello, vero? — chiese trionfante Zianna. — Ora lei conosce tutta la famiglia.

Vide nel volto del giovane una interrogazione.

— Sí, comandante, Renata è sola. È solamente mia, per ora.

Sorrise e se ne andò.

Erano di fronte, in piedi, si guardarono.

Alta, scultorea di forme, diversa da tutte le altre donne, Renata appariva a Furio come la creatura inutilmente cercata.

— Vuole entrare? O preferisce rimanere fuori per sorvegliare l'apparecchio?

— Sí, signorina; questa stanzetta verde è un amore; sieda, mi dica qualche cosa.

— Io? — domandò stupíta la fanciulla.

— Vuole che parli io?

— Sí.

— Ecco: sarà un anno, passando, ammirai questa casa e mi portai negli occhi tutto questo colore di fiori. Poi la dimenticai. Ma qualche tempo fa, volando in allenamento, vidi in molti giardini fiorire il glicine. Allora pensai di ritornare qui per rivedere se la casa era nuovamente vestita di profumo. E insieme ai fiori vidi un fascio d'oro. Che sarà?, mi domandai. Siamo curiosi, noi aviatori! M'abbassai e m'accorsi che quell'oro era la sua chioma.

— È sciocco portare i capelli sulle spalle in questi tempi di testoline maschili.

— Ah, se sapesse come detesto le brevi zazzere, e che bisogno ho di grandi chiome! Se io fossi il suo fidanzato la pregherei di stare sempre cosí. È fidanzata?

— No, e non lo sarò mai.

— Mai?

— S'è troppo pronunciato il nome di mio padre e di mia madre perché possa tacerle una tragedia. Landi: non ricorda questo nome?

— No.

— Uno scandalo, un delitto, un suicidio.

— Recente?

— Sono passati cinque anni. Molti per chi legge il giornale, pochi per chi ha vissuto il dramma.

— Ma doveva essere poco piú d'una bambina.

— Per questo, ricordo troppo.

Mentre essa parlava, Furio guardava il bel volto di Madonna bionda, le lunghe mani perfette, le caviglie che rivelavano la donna di gran classe. Quando Renata tacque, Furio mormorò:

— E lei cosí bella, cosí giovane, vorrà vivere senza amore? Neppure se un galantuomo che non è il primo venuto le dicesse che le vuol bene?

— Neppure.

— È triste! Pensi, Renata, fino a poco tempo fa io avevo due amori: la mia mamma e la mia divisa. Ora mi par di volere tanto bene a una fanciulla bionda, bionda...

Le prese una mano:

— Mani ducali — mormorò. — Pianista?

— Arpista.

— Io non sono un virtuoso, ma amo la musica al punto di tessere una canzone sulle note fragorose del mio motore e canto, quando sono lassú, canzoni scandite dal rombo del motore, accompagnate dal sibilo dell'elica. Renata, non mi dica quel che pensa, non mi dica di andarmene, di non ritornare piú. Davanti a lei c'è un uomo felice. Perché vuole sciupargli la sua gioia? Mi lasci ritornare, la prego.

Renata disse, semplicemente:

— Lo chieda a Zianna, la padrona qui non sono io.

— Mi dica lei di ritornare: non serve il permesso di Zianna.

— Ritorni.

— Verrò in automobile tutte le volte che avrò un po' di libertà.

Renata sollevò il viso, e s'accorse che il giovane aveva gli occhi d'oro come il suo papà.

Curvò la fronte e si lasciò baciare su i capelli.

Da quel giorno Furio cominciò a vivere la vita sognata. L'amore per quella creatura bionda, scoppiato all'improvviso e violento con la forza dell'amore trattenuto per molti anni, lo rese nervoso, irrequieto, inquieto.

Chiuse nel cuore quell'immagine di bellezza e la nascose a tutti, non ne parlò neppure a Mino. Non voleva che l'amico pensasse alle solite avventure d'amore. Scrisse alla mamma:

« Sono innamorato, mamma, della piú bella, della piú santa bambina del mondo. Sono felice e disperato. Prega, mamma, ho tanta paura. »

Furio aveva paura. Di chi? Di che cosa?

E la mamma pregò perché quel suo grande fanciullo, per la prima volta innamorato, non soffrisse troppo.

Ogni sera Furio balzava al volante della macchina da corsa e lanciava l'auto verso un altro lago, piú piccolo, piú intimo, piú raccolto.

Paolotto, che l'attendeva sulla strada, spalancava il cancello e lasciava il passo alla grossa macchina.

Una sera Furio s'arrestò nel giardino, stupíto e commosso. Dalla villa usciva il dolce canto dell'arpa. Girò attorno alla casa, scese verso il lago, e, fuggendo dalla finestra, una folata di note lo investí fasciandogli l'animo di dolcezza. Camminando in punta di piedi s'avvicinò e guardò. Seduta all'istrumento dorato come i suoi capelli, chiusa in un ingenuo abito bianco, la testa un po' reclinata sulla spalla, gli occhi attenti alle stupende mani, Renata suonava senza guardare la musica.

Zianna, che ascoltava accarezzando Mustafà, vide Furio, s'alzò pian piano, lo raggiunse, gli prese una mano e lo trascinò via.

— Bravo, è venuto piú presto!

— Per mia fortuna! Come suona bene!

— Sí, ma non vuole che gli estranei ascoltino.

— E io rimarrò sempre un estraneo, Zianna?

— Ah, figliolo, se dipendesse da me!... Ma Renata non vuol sentir parlare di matrimonio. La tragedia della sua casa le ha lasciato un gran terrore nel cuore.

— Ma io ne muoio, Zianna, di questo amore! Oggi sono sceso dal volo con la testa stanca e il cuore stretto. Bisogna che Renata mi aiuti a vincere e a vivere. Glielo dica, Zianna.

Tacque il canto dell'arpa e Renata s'inquadrò nella finestra.

Furio le corse vicino e le baciò le mani dicendo:

— Renata, suonerete ancora per me?

— Stasera? No.

— Quando vorrete voi, Renata. Restiamo in giardino?

Renata si diresse alla piccola grotta scavata nel verde e illuminata appena dalla luce che usciva dal salotto. Zianna s'allontanò e i due giovani rimasero soli.

— Non dite nulla, Renata? Posso parlare io?

— Dite.

Furio raccolse tre, quattro dei cuscini sparsi sulle poltroncine di vimini, li ammucchiò e vi si accoccolò sopra, ai piedi di Renata. Appoggiò la fronte alle ginocchia della ragazza e con la voce maschia, eppur velata di dolcezza, arrotondando appena l'erre, disse:

— Vi voglio tanto bene, l'avete capito. Perché vi ostinate a non voler essere mia moglie? Vi offro una corona, Renata, che è fra le piú belle d'Europa, vi offro il mio non oscuro nome di soldato e questo mio cuore che, vi giuro, non ha mai sofferto come ora. Vi offro la mia giovinezza, la mia vita. Sarò per voi l'amante, il fratello, sarò quello che voi vorrete, Renata. Cosa mi rispondete?

— Impossibile! Impossibile! Io ho paura.

— Paura? E di che cosa, se mi vuoi bene? Di me? Ma io t'amo! Di te? Ma tu non sei di quelle che smarriscono la strada! Ascoltami, cara. Se tu mi vuoi bene, se io ti adoro, se fra me e te non ci sarà mai nessuna ombra, nessun timore, cosa mai ci potrà dividere? Tu mi vorrai un pochino di bene, quanto ne vuoi a Mustafà, io, in cambio di questo piccolo bene, diventerò cosa tua, della quale potrai fare ciò che vorrai.

Renata con le belle dita accarezzò i capelli chiari di Furio, e mormorò:

— Non si può non volerti bene...

Parve a Furio che un faro enorme sorgendo improvviso dalle acque illuminasse il mondo.

Si buttò a terra davanti alla fanciulla e le baciò i piccoli piedi, poi fuggí chiamando a gran voce:

— Zianna! Zianna!

Stupíta, la zitella apparve sulla porta del salotto. Furio la prese nella braccia e sul faccione tondo e florido le stampò due grandi baci.

— Non sono pazzo, Zianna. Renata mi vuol bene. Renata mi sposa!

Ma un « no » secco come un colpo di revolver gli spezzò il cuore.

Bianca, tremante, Renata diceva:

— No, ti voglio bene, ma non ti sposo. Portami via cosí, senza catene, perché io possa andarmene se tu sarai stanco o se io non ti amerò piú.

Furio impallidí, Zianna diventò di fuoco. Cercando di rendere ferma la voce che gli tremava, Furio mormorò:

— Allora no, Renata. Se volete essere l'amante e non la sposa, io rinuncio. Non avrei mai pensato a voi se avessi avuto bisogno di una femmina.

— Ma non capisci — gridò Zianna, — non capisci

l'enormità della tua proposta? Ma non senti che parlando cosí fai pensare che nel tuo sangue ci sia veramente un po' di quel sangue maledetto?

Renata ebbe un guizzo come se una scudisciata violenta l'avesse percossa in viso, sbiancò e cadde a terra, prima ancora che Furio avesse il tempo di sostenerla.

La portarono nella sua camera. Furio passeggiava nel corridoio senza osar di entrare. Fu Zianna che gli disse, quando il medico uscí:

— Venga, venga, povero figliolo!

— Non parti? — domandò Renata vedendo entrare Furio.

— Mi vuoi mandare via?

— No, rimani, ma coricati e riposa. Devi volare, tu! Zianna...

La zitella si curvò sulla fanciulla.

— Renata, dimmi che mi perdoni.

— Dammi un bacio.

Baciò la fanciulla e poi, trattenendo il pianto, chiese:

— Cosa volevi dirmi?

— Fa preparare un letto per Furio. Deve riposare.

— Ma io non sono stanco, Renata, e anche se mi coricassi non potrei dormire. Lasciami qui.

— Ma domani se avrai sonno, se sarai stanco, non potrai volare. Furio, sentimi. — Gli circondò con un braccio il collo, mise la sua guancia ardente vicino a quella umida di Furio e promise:

— Sarò la tua sposa. Ma giurami, ora, che dormirai tranquillo.

— Renata, Renata mia!

— Zitto e giura.

— Giuro che mi coricherò, ma non posso giurarti di dormire.

— Ma allora?

— Renata, Zianna è stanca, Martina dorme in piedi. Paolotto starà nel corridoio e io, se tu permetti, mi metterò lí in quella poltrona. Vuoi?

— Cosa ne dici, Zianna? — interrogò Renata, sorridendo.

— Ma sí, figlioli.

Zianna se ne andò senza farsi pregare. Un nodo di lacrime trattenute le spezzava il petto. Come aveva potuto essere tanto cattiva con la piccola Renata? Si chiuse nella sua camera e pianse chiamandosi vecchia matta, pazza, egoista, zitella rancida e rabbiosa.

Martina portò da bere e da fumare a Paolotto, spalancò la porta della camera di Renata, e se ne andò.

Furio velò la lampada, accomodò con mani tremanti i capelli di Renata, poi si sdraiò nella poltrona ai piedi del letto.

— Hai sonno, piccola?

— Sí... — mentí Renata.

— Sii tranquilla. Saremo felici.

— Lo spero per te: dammi un bacio.

Furio s'avvicinò al letto, si curvò su Renata e per la prima volta le loro bocche s'incontrarono. Un bacio timido, a bocca chiusa, simile a quelli che si dànno tra loro i bimbi, per gioco.

— Dormi, Furio.

Un forte dolore al capo tormentava Renata, ma essa rimase immobile, con gli occhi chiusi, sperando d'illudere Furio. Questi, pure immobile, con gli occhi chiusi, tentava di fare altrettanto e pensava:

— Per farmi tranquillo, per darmi qualche ora di riposo sereno, ha rinunciato ai suoi propositi, e forse ai suoi desideri: riaprendo gli occhi, dopo quel terribile svenimento, s'è preoccupata pensando che devo volare. Dio, guidami tu, perché io possa essere degno di lei.

Venne l'alba, una chiara alba di primavera. Furio si mosse e subito Renata domandò:

— Hai dormito?

— E tu?

Gli spiaceva rispondere con una bugia nel primo giorno della loro nuova vita. Renata lo guardò e sinceramente rispose:

— No.

— Nemmeno io, Renata, ma mi sento fresco e riposato come dopo un sonno di dieci ore.

Venne Zianna, venne Martina e se ne andò Paolotto. E anche per Furio venne l'ora della partenza.

— Il caffè, prenda il caffè, figliolo — pregava Zianna.

Furio ne ingollò un sorso:

— Io ritorno stasera, piccola; tu stai buona e tranquilla.

— Se avrai sonno, se sarai stanco, non volare, Furio — pregò la piccola fidanzata.

— Cara! Appena arriverò all'albergo, farò una doccia e sarò il piú riposato degli uomini. E poi, con tutta questa felicità che ho nel cuore, come potrei sentire la stanchezza? Oggi stesso scriverò ai miei; lei, Zianna, richieda tutti i documenti necessari. Occorrono presto, perché io per sposarmi devo avere il permesso regio. Sono cose lunghe e non si deve perdere tempo. Ora vado. Addio, Zianna! Addio, sole!

Arrivò all'aeroporto che già Mino era in volo.

Sullo scivolo l'apparecchio di Furio attendeva. Balzò nello scafo, raggiunse il compagno, gli si mise al fianco. Mino lo salutò con la mano, Furio alzò tutte e due le sue in segno di saluto giocondo.

— Qualche cosa di molto bello deve essergli accaduto — pensò Mino virando stretto per ripassare accanto all'amico.

Si convinse di non aver sbagliato nella sua supposizione, vedendo l'idrovolante del compagno piroettare allegramente.

Dopo un'ora di volo scesero.

— Come va, irreperibile Furio? — domandò Mino.

— Bene! Sono l'uomo piú felice della terra. Ho trovato la mia donna e mi sposo.

— Ti sposi?

Mino, che sfilava la combinazione di volo, rimase con una gamba dentro, una fuori, e con la bocca aperta.

— Sí. C'è qualche cosa di male, forse?

— No.

— E allora?

— Mi sorprende, ma mi spiego finalmente il perché delle tue fughe. Quello che non mi spiegherò mai, è il tuo silenzio con me.

— Hai ragione, ma la mia felicità era cosí incerta!... E poi, parlare di lei che non è e non sarà l'amante, non mi piaceva. Sono geloso di questo mio amore e me lo voglio tenere tutto chiuso nel cuore. Ora scrivo a mia mamma, poi t'invito a colazione. A Milano, vuoi?

— A Milano? Nel pomeriggio non si vola?

— Sí, ma non nelle prime ore. Io devo andare a prendere l'anello per Renata.

— Si chiama Renata?

— Sí.

— Bella?

— Un sole!

— Giovane?

— Poco piú di una bambina.

— Capelli lunghi?

— Fino a terra.

— Bruna?

— Bionda, bionda, bionda! T'ho detto, un sole! S'è mai visto un sole nero?

— Me lo farai conoscere, questo splendore?

— Sí, ma non ora. Quando sarà la duchessa di Villafranca.

— E perché?

— Perché non mi sono abituato a questa felicità e ne ho gelosia e paura. Arrivederci fra un'ora.

Se ne andò correndo. A un tratto si volse e gridò a Mino:

— Sbrigati!

Lanciò il caschetto in aria, eseguí una piroetta gioiosa per riprenderlo... e si trovò faccia a faccia col generale.

Furio s'irrigidí sull'attenti e il generale tese la mano:

— Buon giorno, comandante; bene?

— Bene, Eccellenza.

— L'allenamento?

— Prosegue con ottimi risultati.

— Contento?

— Felice, Eccellenza.

Il generale, ch'era giovane e intelligente, sorrise fra la breve barba e i corti baffi e domandò:

— Dove correva?

— All'albergo. Avevo intenzione di andare a Milano prima di ricominciare l'allenamento.

— Vada, vada.

— No, Eccellenza: rimango all'aeroporto.

— Per me?

— Sí, Eccellenza.

— Ma no, caro Villafranca! Io fra un'ora riparto. Vuol venire a Milano con me?

— Se lei crede, Eccellenza...

— Può attendere un'ora? O ciò che lei deve fare a Milano è della massima urgenza?

— A Milano vado per acquistare l'anello alla mia fidanzata. Cosí, Eccellenza, comunico a lei, prima che ai miei genitori, la bella notizia.

— Bravo, sono lieto. Ma...

— Ma? — continuò Furio.

— Quando si sposerà?

— Appena ne avrò il permesso.

— Vedremo di farglielo avere prima del grande volo.

— Eccellenza, lei ha capito il mio immenso desiderio. Grazie.

— Ha fatto tanto lei per l'Italia e l'Italia le permetterà d'avere accanto al piú presto la nuova duchessa di Villafranca. Augurî e arrivederci.

Furio salutò e sparí. Sulle labbra del generale era rimasto un sorriso soddisfatto e commosso.

Furio scrisse a sua madre:

« Vieni, t'ho preparato la piú bella, la piú bionda, la piú buona fra le nuore. »

* * *

Aura partí, raggiunse il figlio, andarono sul lago, entrarono nella fresca villa vestita di fiori. Li accolse Zianna, commossa, affannata, nervosa. Aura seppe calmare l'orgasmo della zitellona con quel suo dire dolce, umano, gentile.

Renata apparve a un tratto, con le grosse e lunghe trecce fermate attorno alla testolina, e gli occhi pieni di luce.

Aura balzò in piedi, la prese fra le braccia, la baciò mormorando:

— Che bellezza!

— Non ho esagerato, dunque? — domandò Furio orgoglioso.

— Esagerato? Io mi chiedo se tu meriti una simile creatura.

— Sciogli le trecce, Renata — pregò il giovane.

Renata docilmente ubbidí, e Aura pensò che Berenice in quel momento doveva sbiancare d'invidia.

* * *

Nell'alta società si commentò molto il matrimonio del duca Furio.

Renata se ne accorse il giorno delle nozze, che avvennero con sfarzo nel vecchio castello dei Villafranca e Monleone.

Ell'era, quel giorno, bella come il sole del mattino. Alta, statuaria, avvolta nelle sete e nei veli candidi, con la grande raggera di trecce bionde, era veramente degna di portare la corona ducale.

Accanto a lei Furio, in alta uniforme, sorrideva beato.

Mino Sant'Elmo, che era uno dei testimoni, quando vide Renata ne rimase abbagliato.

Furio s'avvide dello stordimento dell'amico, ne provò una stretta al cuore e si disse:

— Io soffrirò, io soffrirò per questa bellissima bambina mia.

Anche il duca Momo, che in fatto di donne era sempre stato un giudice severo, aveva accettato senza discutere quella nuora la cui grande bellezza faceva dimenticare il piccolo nome oscuro e macchiato.

Zianna, elegante e piú brutta del solito, guardava attraverso gli occhiali e l'occhialetto la creatura del suo cuore e diceva:

— Che meraviglia! Che incanto! — orgogliosa come se l'avesse fatta lei.

Piú tardi Momo di Villafranca, offrendo il braccio alla buona zitella, le disse sorridendo:

— Venga, donna Anna, venga con me.

Anna lo seguí.

Uscirono dalla gran sala, scesero nel giardino, percorsero un viale, entrarono in un cortile. Momo si avvicinò alle scuderie e chiamò:

— Din, Don, Campana!

Gli risposero nitriti gioiosi.

— Sente, i miei cavalli? Mi riconoscono alla voce. Vuol vederli?

— Vediamoli — rispose rassegnata.

Entrarono. I tre animali, stupendi di forme, rizzarono le orecchie, scossero le criniere, si mossero.

— Belli, vero? Madre e due figli. La Campana ha fatto Din, Don. Cosa ne dice?

— Ben trovata!

— Vuol vedere anche Ciú? È il cavallo di mia moglie. Anche Furio ebbe un Ciú. Morí presto di noia.

Anna guardava senza interesse.

— Che farà Renata? Dove sarà? — si domandava.

Quasi leggendo nel suo pensiero Momo osservò:

— Io cerco di distrarla, ma vedo che lei pensa ai nostri ragazzi. A quest'ora volano a duecento chilometri verso il loro nido d'amore.

Anna rise, ma dagli occhi le rotolarono due lacrime.

— Piange? Perché?

— Per essere in carattere col mio tipo di suocera, — scherzò.

Uscirono.

Aura li attendeva. Momo le lasciò sole e le due signore parlarono a lungo dei loro figlioli.

La zitella, gaia, buona, brutta, d'una bruttezza intelligente, conquistò presto Aura.

— Rimanga con me qualche giorno — pregò Aura.

E Anna rimase.

Non aveva il coraggio di ritornare subito lassú, nella casa dove non c'era piú Renata.

La fanciulla aveva pregato Furio di scegliere una casa vicina il piú possibile all'aeroporto. Ma Furio preparò per lei un nido stupendo a qualche chilometro dal campo.

— In cinque minuti di volo e mezz'ora di automobile sarò da te. Non ti voglio vicina all'aeroporto. Dovrei presentarti colleghi e amici, sarei costretto a riceverli, la nostra casa sarebbe sempre piena di gente. E io ho troppo bisogno d'essere solo con te. T'ho aspettata per tanti anni, Beba!

Mormorò il piccolo nome che gli era salito dal cuore la prima notte d'amore, quando Renata addormentandosi cheta e sorridente nella gran chioma soffice e bionda gli aveva richiamato alla mente la bambola di Elma.

La villa era lontana dall'abitato, e nel giardino Furio aveva messo in libertà due cani danesi.

Aura aveva detto al figliolo:

— Sarà troppo sola, Renata. Perché non le prepari una bella casa a Milano?

Ma non aveva continuato, sorpresa dal pallore

improvviso di Furio. Intelligente come era, Aura comprese subito e, guardandolo negli occhi, domandò:

— Sei geloso?

— Da morirne, mamma!

— È la malattia dei Villafranca. Povera Renata! Sii giusto e gentiluomo, Furio; non farla soffrire. Ella deve essere profondamente buona e onesta, ed è tanto bambina!

— È un angelo, ma è troppo bella.

— Dovevi pensarci prima.

Furio chinò il capo e la madre gli accarezzò i capelli mormorando:

— Povero ragazzone mio!

Sola per ore e ore Beba viveva per attendere il ritorno di Furio che piombava qualche volta dal cielo, o arrivava come una freccia dalla strada.

Vivevano un'appassionata vita d'amore e di baci, unendo in catena ore belle a ore piú belle.

Un mattino Furio, già pronto per uscire, impallidí improvvisamente.

— Furio! Hai male? — domandò Beba spaventata.

— Ho un male di capo atroce. Mi par d'aver nel cervello un ferro rovente.

— Non partire, còricati — pregò la donna.

— Non è possibile: devo essere all'aeroporto.

— Ma non devi volare, se stai male! Telefona a Sant'Elmo, accomoderà lui le cose.

Beba balzò dal letto e in pigiama passò nella stanza attigua. Telefonò all'aeroporto, parlò con Mino.

Nelle prime ore del pomeriggio Mino arrivo. Lo accolse Renata e gli parlò dell'improvviso malore di Furio.

— Ancora? — domandò stupíto il giovane.

— Perché ancora?

— Non sa? Ieri, appena sceso dal volo, Furio ebbe un momento di vertigine.

Renata tremò.

— Forse il mio amico le vuole troppo bene, duchessa.

Beba arrossí e la sua bella faccia s'offuscò.

— Non s'offenda. Io le devo parlare schiettamente. Per chi, come Furio, deve ogni mattina affrontare una velocità non indifferente, l'amore non è l'allenamento indicato. Tocca a lei, signora, limitare il galoppo di quel magnifico cavallo. E sono certo che, trattenuto da mani tanto belle, il morso non lo farà troppo soffrire. Me lo promette, duchessa? O vuole che parli io a Furio?

— Prometto, prometto — mormorò Beba.

— Mi fido. Ora vorrei andare da Furio. Naturalmente, noi non abbiamo ancora parlato.

— Naturalmente.

Mino s'inchinò e seguí il cameriere pensando:

— Marito di una donna simile... io sarei già morto.

Furio, ancora a letto, l'accolse con una scarica di domande.

— Hai volato? E gli altri? E gli apparecchi? E quel maresciallo ha imparato ad ammarare senza far piastrella? Bisogna fargli capire che se con gli altri apparecchi la piastrella non porta conseguenze, con questi è facilissimo capottare.

— Sí, sí, gli farò capire tutto quello che vuoi. Tu come stai?

— Meglio, ma ho la testa vuota.

— Sfido io! — brontolò Mino.

Furio capí e non parlò. Ma dopo un minuto di silenzio domandò:

— Hai visto Beba, tu?

— Non ancora. Anzi se mi permetti di baciarle la mano sarò felice.

Beba venne, ed era cosí bella nel fresco abito estivo, scollato e senza maniche, che Furio ne ebbe dispetto e le chiese:

— Vai a ballare?

— Io? — domandò stupíta.

— Tu. Sembri in abito da sera. Non mi piace quel vestito.

— Ne metto un altro, se vuoi.

— Sí, Beba, subito.

Docilmente, Beba passò nello spogliatoio, indossò un abito tutto chiuso e severo. Ma aveva il cuore gonfio di malinconia. Quando Mino se ne andò, Furio volle Beba vicino e accarezzandola balbettò parole piene di passione e di desiderio. Ella tremava. Conosceva l'epilogo di quel balbettío e da un'ora le parole terribili di Mino le martellavano nel cervello. Tentò di distrarre Furio dicendogli:

— Poco fa la posta mi ha portato tre lettere, una di tua mamma, una di Zianna... e l'altra... indovina di chi è l'altra...

— Di un uomo che t'ama.

— No.

— Allora non so.

— Solo uomini che m'amano devono scrivermi? Sei cattivo, Furio. Vuoi sapere?

— Dimmi.

— Di una sarta.

— Nulla di strano.

— Ma si tratta d'una sarta speciale. Una mia compagna di collegio ha sfruttato il proprio ingegno d'artista creando stupendi modelli. Potrò riceverla?

— Certamente, cara. E ti permetto un'ordinazione di trenta vestiti: purché siano come quello che indossi.

— Tutti eguali?

— Nella foggia e nel colore, no, ma tutti chiusi.

— Siamo di giugno, Furio, avrò caldo.

— E non potrai, per me, soffrire un po' di caldo? La tua pelle voglio vederla io solo, la tua carne nessuno deve sfiorarla. Ti voglio per me, Beba!

Se la prese fra le braccia, le chiuse la bocca con la bocca. Ma Beba si svincolò:

— Buono, buono, o starai male ancora. Vuoi che suoni per te? Faccio portare l'arpa qui?

— Sí — brontolò Furio, scontento.

Beba fece portare l'arpa dorata nel vano della finestra, spalancata sul gran balcone in fiore. Sotto, l'acqua del lago raccontava una storia monotona che sembrava una fiaba per bimbi senza sonno.

— Che cosa suono, Furio?

— La romanza di Schubert che tu suonavi quella sera... ricordi? Ma sciogli le trecce, amore.

Come sempre, Beba ubbidí, s'accomodò davanti all'istrumento e annunciò:

— La posta dei piccioni.

La voce dolce di Renata accompagnava il canto dell'arpa:

« Ai miei comandi
ho un bel piccion ».

Avvolta nel suo manto d'oro, bionda nel biondo sole di quel tramonto sereno, Beba, con le belle mani sulle corde dell'arpa, sembrava la figura d'un quadro, dipinto da un artista innamorato.

Furio, estatico, guardava, scoprendo nella sua donna le piú pure bellezze, i piú voluttuosi movimenti.

— Ma è possibile che sia mia, tutta mia, questa bimba tanto bella? Possibile che nessuno tenti di rubarmela? Sono cosí ladri gli uomini! Mino non si è preso Clara? Io non avevo Lery? E le cronache di ogni giorno non parlano di mogli fuggite e di mariti traditi?

Le tempie gli dolevano, e un disperato bisogno di lacrime gli stringeva la gola.

Affondò la bocca nel guanciale.

Le note si fecero piú dolci, piú lente, morirono all'improvviso, e dalle acque salí ancora quel chiacchierío monotono che pareva una fiaba eterna per bimbi senza sonno.

Beba s'alzò, e vedendo Furio immobile lo credette addormentato. Accostò le griglie e s'accoccolò sul tappeto. Furio sentí quella docile e affettuosa presenza, ne gioí come di una vittoria e si costrinse all'immobilità per godere a lungo di quella gioia e tenere accanto a sé, a terra, quell'adorata bimba che gli rendeva la vita stupenda e terribile.

La notte, precipitando sul lago, li trovò ancora cosí. A un movimento di Furio, Beba balzò in piedi, rivelando nell'amorosa voce la vigile attesa.

— Hai dormito? Stai meglio?

— Sono guarito, Beba. Vieni.

Tese le braccia, ma Beba non rispose all'invito.

— Perché, Beba? — domandò Furio con voce accorata.

— Per te, e un po' anche per me; sono stanca... e non sto bene.

— No? Forse... Tu credi, Beba?

— No.

— Ma verrà! Tu credi che verrà?

— Io spero...

— Un bambino nostro! Un maschio, perché io voglio farne un aviatore. Ti raccomando, Beba, fammelo sano e intelligente, forte come me, bello come te...

— Buono come te.

— Sono buono, io? Con Beba no.

— Perché?

— Oh, lo so io perché! Sono troppo inquieto, troppo geloso. Perché dovrei nasconderlo se tu stessa lo vedi? Geloso da morirne di tutto ciò che ti circonda, di tutti coloro che t'avvicinano. Ieri, quando accarezzavi i cani, io soffrivo. Oggi, quando sei apparsa cosí bella in quel vestito che ti spogliava, ti avrei battuta. Poco fa, quando mi sei sfuggita, avrei voluto morderti. Beba, che sarà di me?

— E di me, Furio? — domandò sommessamente quasi a sé stessa la donna. — Bisogna essere ragionevoli, amore mio, per non farti male, per non farmi male.

Furio, baciandola, promise, ma Beba capí che a quella promessa nemmeno lui credeva.

L'indomani, dopo il solito volo del mattino, Mino propose a Furio:

— Se andassimo fino al Santuario?

— Andiamo. Hai notizie di Clara?

— Nessuna.

— Povero Mino!

— Ah, sí, povero Mino! — ripeté sconsolato il giovane.

Andarono lassú e don Ildebrando li accolse con quel suo bel sorriso che apriva i cuori alle confidenze.

— Ben tornati, figlioli.

Parlava, lui, giovane, come se di quei giovani fosse il padre. Dopo la benedizione il prete s'inginocchiò davanti alla balaustrata dell'altare e i giovani gli si misero ai fianchi. A testa bassa don Ildebrando, col volto fra le mani Sant'Elmo, con la faccia alta e gli occhi sull'immagine della Madonna, Furio.

Poi s'avviarono per uscire, ma don Ildebrando li trattenne.

— Vogliono salire? Ho una povera casa...

— Volentieri, reverendo.

Un salottino modesto, ma intimo e raccolto. Don Ildebrando offrí un liquore che sapeva di erbe, sorrise e cominciò:

— Siete venuti quassú perché tutt'e due avete il cuore gonfio: parlate. Dica, Sant'Elmo.

— Non ho piú nulla da dire. Il mio povero romanzo è finito.

— Meglio cosí.

— E sono venuto quassú perché questa pace mi fa bene.

— Venga sempre, quando le parrà di essere troppo solo.

— Lei felice, che della vita ha fuggito tutto il male!

— Tutto il male e anche tutto il bene — corresse il prete.

Furio ascoltava assorto.

— E lei, Villafranca?

— Io mi sono ammogliato, reverendo.

— È felice?

— No.

Mino trasalí e guardò l'amico negli occhi.

— No?

— No, — ripeté Furio.

— Ma che cosa è avvenuto? — chiese Mino.

— Nulla, ma nel mio cuore c'è l'inferno; sono geloso, geloso del sole che riscalda la mia donna, geloso dei cani che ella accarezza, geloso di mio padre che le scrive lettere piene di rispettoso affetto, geloso di Dio, quasi, perché l'ha creata e a lui appartiene.

— Ah, figliolo, che grande tragedia deve avere nel cuore!

— È troppo bella, forse — mormorò Mino.

— Ma ha una ragione questa sua gelosia?

— Neppure una. Ella fa tutto ciò che voglio, vive onestamente, non conosce nessuno, è una piccola bimba che io ho resa donna.

— Perché, dunque?

— Perché... sono un disonesto, perché temo che un po' dello sciagurato sangue materno sia nelle sue vene, perché l'adoro, perché ho troppa paura di perdere questo immenso amore. Io non ho fatto male a nessuno, mai, glielo posso giurare, reverendo. In guerra, quando vidi precipitare l'apparecchio da me colpito, piansi: ero quasi un ragazzo allora, e tremavo all'idea di dover cominciare la mia vita uccidendo. Una donna un giorno mi sparò una revolverata; non la toccai nemmeno; ma ora io sento, io so, che potrei uccidere.

S'era fatto bianco. Proseguí:

— Io penso, ora: che farà? dove sarà? con chi sarà?

— Furio! — rimproverò Mino.

Don Ildebrando balzò in piedi e con voce dura, tagliente, scandí le parole:

— La sua non è piú gelosia, è sfiducia, la sfiducia istintiva del giudice verso l'imputato; le sue parole volgari, i suoi sentimenti bassi. Io non conosco la duchessa di Villafranca, ma so, lei me lo dice, che è buona e pia. E non teme una punizione giusta? Non crede lei che Dio si ribelli e castighi chi tortura una sua creatura? La gelosia è l'amor proprio della carne e i gelosi non mi fanno pietà.

— Ma cosa può saperne lei, che è fuggito dalla vita per non esserne una vittima?

— Che ne so? Infatti non c'è nessun romanzo nella mia esistenza. Troppi scrittori hanno narrato di uomini che hanno preso questo abito per amore: non rappresenterei una novità. Ma il mondo può far paura anche a quelli che, come me, non hanno avuto nessun amore. Parlo dell'amore carnale; perché il mio amore, puro, grande, immenso, l'ho avuto anch'io. Guardi.

Con gesto brusco slacciò l'abito e mostrò sulla sottoveste una striscia azzurra dove brillava una piccola stella d'oro.

Mino scattò in piedi e s'irrigidí sull'attenti.

Furio mormorò:

— Mi perdoni!

— Non a me deve chiedere perdono. Io pregherò per lei; torni quassú quando sarà troppo inquieto.

Fecero la strada del ritorno in silenzio. Lasciandolo, la sera, Mino raccomandò a Furio:

— Sii buono, non farla soffrire! È tanto bambina!

Senza rispondere strinse la mano dell'amico e, veloce sulla macchina possente, partí.

Trovò Beba in giardino, chiusa in un abito rosso che la fasciava e la chiudeva fino al collo. Furio non le aveva mai visto quel vestito.

— Deliziosa sei, vestita di fiamma. I tuoi capelli pare ne ricevano riflessi rossi. Troppo bella!

Beba taceva.

— Cos'hai, amore?

— Oggi è venuta la sarta, quella mia amica, sai? Ho comperato dieci vestiti.

— Dovevi comperarne trenta. Il permesso lo avevi.

— E poi, ho... ho...

— Avanti, cara.

— Ho invitato Milda, la mia amica, ed è qui. Ho fatto male?

— No, perché?

— Vedrai; è cosí buona, cosí cara, cosí intelligente...

— Presentami questa rarità.

— È su, si vergogna.

— Ah, perbacco! Una donna timida? È la prima, in fede mia. Andiamo, spaventiamola.

Salirono piano, piano. Nel salottino di Beba, trasformato in esposizione di modelli, Milda attendeva. Furio si trovò davanti a una donna giovane che aveva un viso appassionato, due occhi vivi e intelligenti e un corpo stupendo. Alta quanto Beba, non aveva le dolci e plastiche forme di questa, ma linee appena accennate e nervose. L'abito, correttissimo, la denudava.

All'apparire di Furio la donna arrossí violentemente.

— Benvenuta, signora... signorina.

— È lo stesso — rise Milda.

— Chiamala Milda, è piú spiccio — suggerí Beba.

— Va bene; allora donna Milda mi dica perché ha dato solo dieci vestiti a Beba.

— Non ne ha voluti di piú.

— Ma li voglio io.

— Vuole vederli? Ecco, duca.

Toccando le belle stoffe le mani di Milda diventavano sensuali; parlando, il volto si faceva luminoso e gli occhi amorosi. Amava le sue creazioni come esseri veri, nati da lei, sbocciati dal suo cuore.

— Questo è un mantello di zibellino, chiuso da una fibbia di brillanti, che dovrà essere indossato sopra un abito di tulle nero. Quest'altro è un vestito sportivo, rosso, come vede, con cintura di bulgaro e blusa ornata della stessa pelle. Questo abito da sera, verde pallido, ricamato a grandi rose di vetro azzurro, Beba lo porta arditamente, ma non lo vuole perché è troppo scollato.

— Prendilo, Beba.

— Ma...

Furio capí, sorrise.

— Lo indosserai quando andremo a teatro assieme.

Milda, delicatamente, posò il vestito sulle braccia della cameriera.

— Quest'altro è in tre pezzi, blusa bianca ricamata d'argento, gonna di seta nera argento, mantello di velluto della stessa tinta. Per tè, per ricevimento, per mezza sera; Beba sembra una fata.

— Prendilo.

— Ma se non ricevo, se non vado in nessun posto!

— Lo metterai per me.

La cameriera accolse sulle braccia tese anche quel soffice e morbido tesoro.

— C'è una pelliccia di visone, biondo come Renata.

— È presto, siamo a giugno — osservò Beba.

— Prendila, Beba, devi essere un sole fra tutto questo biondo.

Con gesto amoroso infilò la pelliccia alla sua donna e cosí avvolta la prese fra le sue braccia e la baciò.

Milda sorrise, Beba arrossí.

— Si ferma qualche giorno, donna Milda?

— Fino a domani.

— E allora, anche se la permanenza sarà breve, assisterà a parecchie di queste scenette.

— Non stupirò, duca. In collegio noi, pure essendo donne, sentivamo il bisogno di baciare Beba quando appariva in giardino, bianca e bionda, tutta avvolta nei suoi capelli. C'era — ricordi, Renata? — c'era una brutta, simpatica ragazzona, la Montaldi, che diceva sempre:

« Se il sole sparirà noi costruiremo una torre altissima, vi isseremo Renata e il mondo avrà di nuovo la sua luce ».

Furio ascoltava, commosso e orgoglioso.

La campana suonò per il pranzo.

— Andiamo, Milda.

— No, non è possibile; a tavola con voi, no.

— Ma venga, donna Milda!

— No, no.

Furio, con uno dei suoi gesti esuberanti, la prese per un braccio. Sentí sotto la stoffa leggerissima la carne della donna.

Abbandonò subito il braccio, preso da un senso di disgusto. Disse in fretta:

— Scendi, Beba, con la tua amica, io ti raggiungo.

Andò nella stanza da bagno e a lungo s'insaponò le mani.

— Ecco, ogni donna, anche se gentile e affascinante come questa Milda, mi fa ribrezzo. Ma è possibile amare cosí?

Quando Milda partí disse a Furio:

— Le voglia tanto bene e cerchi di saper leggere nel cuore di questa bambola.

— Nel cuore delle bambole non si può leggere, donna Milda, anche se ci appartengono.

Milda non rispose e se ne andò delusa. Aveva sperato di trovare una casa piena d'amore: l'aveva trovata piena di gelosia.

Allora pensò che forse era piú felice lei, costretta a vivere del proprio lavoro, ma libera, padrona di sé e del proprio cuore, e non invidiò Renata Landi anche se sulla bella chioma bionda poteva mettere una corona ducale.

* * *

— Ho tre giorni di libertà — annunciò Furio una sera. — Dove vuoi andare?

— Da Zianna.

— Se andassimo invece in giro con la macchina?

— Come vuoi tu, amore.

All'alba Beba svegliò Furio che dormiva stanco e felice col volto affondato nella gran chioma bionda.

— Amore mio, buon giorno — mormorò il giovane dandole un bacio.

— Rimarrò sempre nella mia camera se ora non ti alzerai subito senza pretendere baci — rispose Beba, sfuggendogli.

Suonò, venne la cameriera, spalancò le griglie e il sole invase il letto, inondò la camera.

— Su Furio, su!

Andò al balcone, salutò il lago, la luce e l'aria. Ma Furio la raggiunse, la sollevò e la portò via per amarla nel sole.

Poco dopo, sfolgorante nell'abito sportivo, rosso come una fiamma, Renata sedeva accanto a Furio già al volante.

— Dove andiamo?

— Non so, Furio. Da tua mamma che ci attende...

— No, tutti ti vogliono, là, e io non ti posso piú tenere vicina. Andiamo a Torino.

— Andiamo.

Ah, quante volte Furio arrestò la macchina per baciare sulla bocca la sua donna! La quieta strada sonnolenta fra le malinconiche risaie non vide mai due creature piú belle e piú bionde, non ascoltò mai parole piú ardenti, né invocazioni piú appassionate.

— Che gioia poter baciare un viso pulito, senza trucco, due labbra che non avvelenano, due occhi senza bistro! Sei tutta bella, tutta vera; il tuo corpo l'ha creato Dio per l'amore, i tuoi capelli per la mia dannazione!

E le mani tremanti di Furio passavano sulle belle forme, calde di sole sotto l'abito di fuoco e di fiamma.

— Furio, andiamo; Furio, siamo in istrada — pregava Beba.

— Sí, amore, sí, ma dimmi come fai tu a comandarti cosí.

— Non so.

— Lo so io. Tu ami meno, tu non bruci come me.

Con una piega amara che gli sciupava la bella bocca, Furio rimise la macchina in moto.

Tu ami meno. La parola ingiusta percuoteva il cervello di Renata.

— È perché ti amo di piú, che mi rifiuto qualche volta; è perché t'adoro, che ti sfuggo — diceva il cuore.

Ma Furio non udiva quella piccola voce e pensava:

— Sarà tutta mia questa bambola che non comprendo?

Beba posò una mano sulla mano di Furio; la piega cattiva sparí d'incanto e il bel viso maschio, bruciato dal sole e dall'aria, fu tutto un sorriso.

— Vedi, Beba, con una carezza mi dài la vita.

Ma s'accorse che la sua donna gli poteva dare anche la morte, quando Beba, la sera stessa, entrò nel salone dell'albergo.

Le posate rimasero in aria, o caddero sull'orlo dei piatti, le facce degli uomini espressero la piú grande e stupíta ammirazione, e i volti delle donne s'irrigidirono.

Beba indossava il vaporoso abito d'un pallido verde che fra le nuvole di velo celava grandi rose di pietruzze turchine.

Le grosse trecce giravano intorno alla testa che ella teneva un po' curva quasi il gran peso d'oro l'opprimesse.

Sul petto le splendevano gli smeraldi dei Villafranca e il viso sembrava baciato continuamente da riflessi color acqua tranquilla.

Nude le braccia tornite e le spalle divine, nuda la schiena bianca e morbida, rigoglioso il puro giovanissimo corpo. Furio, che aveva sofferto nel vederla tanto bella, ma che ne era anche orgoglioso, scorgendola centro di tanti sguardi, fremeva. Pranzò quasi in silenzio, seguendo con lo sguardo lo sguardo di Beba, che parlava e mangiava tranquilla, indifferente, tutta sorrisi per lui.

Le chiese a un tratto:

— Ma non ti pesa questa tua bellezza?

— No, ci sono abituata.

— Lo sai dunque d'essere molto bella!

— Lo so, ma non è un male saperlo, perché sono certa che se non fossi arrivato tu io non avrei mai saputo che farmene di questo mio bel viso e di questo mio corpo. Ma tu sei sceso dal cielo... e non potevo dirti di no.

— Beba mia — mormorò il giovane allungando una mano sulla tavola e accarezzando il polso rotondo.

— Furio geloso!

— Andiamo?

— Dove?

— Dove vuoi tu, ma...

— Ma...

— Cambiati vestito.

Beba s'alzò e s'avviò: Furio la seguí incrociando i suoi sguardi vigili con quelli degli uomini.

E osservò che le donne, offese dalla bellezza di Beba, fingevano di non vederla.

La coppia superba sparí nell'ascensore.

— Quale abito indosso? — domandò Beba.

— Quello con la blusa bianca e il mantello di velluto argenteo.

Uscirono a piedi, tenendosi a braccetto.

Beba portava in mano, ripiegato, il piccolo cappello e offriva libera all'aria la gloria delle sue trecce d'oro.

Passarono svelti sotto i portici e la gente si fermò a guardarli, infilarono una strada deserta, si baciarono, poi Beba propose:

— Andiamo a teatro?

Furio l'aiutò a salire in una auto pubblica e al meccanico ordinò:

— Al Maffei.

Beba non era mai entrata in un teatro di var...

E stupí, rise, e si scandalizzò, vedendo delle ...ne esibire a sguardi curiosi una nudità di bell... ap-prossimativa e certi volti dipinti in modo ...do e ridicolo.

...biti stu-

Una canzonettista senza voce, che s...

pendi copriva poco un corpo sottile e dinoccolato che rivelava le quaranta primavere raggiunte e forse sorpassate, le fece quasi pietà.

— Povere creature!

Furio sorrise, perché gli piaceva quell'ingenua freschezza della sua sposa. Adorava in lei quello stupore quasi infantile, che non vedeva l'intrigo e non raccoglieva le miserie.

Gambe e dorsi nudi passarono, seni stanchi danzarono davanti agli occhi ironici e indifferenti della folla e finalmente il velario s'aprí per l'ultimo numero.

Uscí, avvolta in veli, Fanfan.

Furio la rivide senza provare la piú piccola emozione.

— Balla bene, questa — osservò Beba.

— Ti piace?

— Molto. È piú vestita, piú corretta delle altre. Forse ha veramente un'anima d'artista.

— Povera piccola Fanfan! — scappò detto a Furio.

— Come sai?

— È stata la mia distrazione di quindici giorni. E credo che mi abbia voluto bene.

Narrò la piccola storia della danzatrice spiando il olto di Beba. Ma la sua donna ascoltava guardan-la ballerina, con un sorriso triste.

Vuoi salutarla, Furio?

Io? — gridò quasi il giovane. — Ma se mi fa

!

devo...

Furio sentí un gran gelo nelle vene.

— Non sei gelosa, tu?

— Ma perché dovrei esserlo, amore? Ti farei torto credendoti capace di tradirmi con una creatura diversa da me!

Le parole di Beba arrivarono a Furio cariche di orgoglio e prive d'amore. Il giovane la guardò negli occhi e tremò, pensando:

— Riuscirò mai a capirla, questa donna mia?

Poche ore dopo, pettinandosi i capelli per la notte, Beba domandò a Furio, che fumava, pensoso:

— Che hai? A che cosa pensi?

— A te, amore. Ho l'impressione che tu mi sfugga.

— Sbagli: io ti sono sempre vicina, ma non devi pretendere che io ti spari una revolverata come Lery — so, me lo raccontò tua mamma — o che io pianga come Fanfan. Io t'amo in un altro modo, e il mio bene lo tengo per me, non lo esprimo con revolverate o con lacrime, e tu non capisci nemmeno che quando mi rifiuto io t'amo disperatamente. Comprendi, ora?

— Non so, non so; so che nelle tue belle mani c'è la mia vita. Se tu allenti la stretta che trattiene la mia giovinezza, io precipito, Beba, ed è finita. T'ho attesa per tanti anni, t'amavo prima d'incontrarti. Ora che ti ho trovata, non mancarmi, amore mio!

Renata accarezzò i capelli biondi di Furio, e si curvò su di lui per baciargli le lunghe ciglia un poco umide.

* * *

Luglio arrivò con tutti i suoi calori. All'aeroporto si vivevano giorni di speranze, ore di scoraggiamento. Un profilato che vibrava, un motore che s'imbizziva, un galleggiante che s'ammaccava, il volo incerto di un pilota, la piastrella di un altro, erano motivo di ansie disperate.

Un giorno a Furio venne l'idea di fuggire dal circuito d'allenamento e di arrivare fino sopra la sua casa fasciata di verde, di quiete, di silenzio.

Passò alto, poi si abbassò e saettò davanti al balcone di Beba. Le griglie si spalancarono e Beba apparve al balcone.

Egli vide, nella pazza velocità, un gran fascio d'oro e null'altro. Riprese quota e felice osò una piroetta con l'apparecchio insidioso. Docile, l'idrocorsa rispose.

Le acrobazie sono le ciliegie dei piloti arditi, una ne tira tante. Alla prima capriola se ne aggiunsero tre, quattro altre, poi l'apparecchio s'alzò ancora, parve un gigantesco T dipinto nell'azzurro del cielo, e all'improvviso piombò in vite, paurosamente.

Beba gelò di fulmineo sgomento, tentò aggrapparsi alla balaustrata e di schianto cadde a terra.

Quando riaprí gli occhi, incontrò lo sguardo ansioso di Furio.

— Tu? Tu, Furio, amore mio? — Cercò di sollevarsi, ma un signore sconosciuto posandole una mano sulla fronte l'obbligò a rimettere la testa sul guanciale. Spaventata, Beba si rifugiò sul petto di Furio.

— Chi è?

— Il medico, piccola.

— Il medico? Ti sei fatto male?

— No, tu sei stata male; io non ho avuto nulla, neppure il piú piccolo incidente; ho eseguito una discesa un po' ardita e i tuoi nervi ne hanno avuto uno schianto. Ah, Beba cattiva, quanta paura mi hai fatto! Le spose degli aviatori devono essere piú coraggiose.

— Il signor duca è ingiusto — intervenne il medico.

— Perché?

— Perché quando lei iniziò quella diabolica discesa, io che con altri stavo a guardare ebbi un attimo di smarrimento, e qualcuno nascose il viso nelle mani.

— Non avrei mai immaginato... — mormorò Furio. — Perdonami, Beba. Come stai?

Rispose il medico:

— È molto debole: le farò un'iniezione d'etere.

— L'affido a lei, dottore, io devo ripartire.

— Subito? — domandò Beba con ansia contenuta.

— Subito: questa sosta, che dovrò confessare, mi arrecherà anche delle noie. Dottore, non l'abbandoni.

— Vada tranquillo.

— Grazie. — Tese le mano e solo allora s'accorse che il medico era giovane, elegante e bello. Ebbe una fitta al cuore, guardò Beba, le vide una spalla scoperta e la rosea sommità d'un seno. S'avvicinò alla sua donna, le trasse le coltri fino alla gola e mormorò:

— Non voglio che il medico veda il tuo corpo.

Il dottore era uscito sul balcone e guardava l'apparecchio, fermo sull'acqua.

Allora Furio passò le braccia sotto il corpo di Beba, se la strinse al cuore:

— Giura che non vedrà il tuo petto, le tue spalle.

— E per l'iniezione, Furio?

Impallidí il giovane e ripeté:

— Giura.

— Come vuoi tu.

— Ma perché non giuri, perché mi sfuggi sempre cosí? — domandò sommessamente, ma con voce piena d'affanno. Perché non puoi e non vuoi che ti senta mia, legata a me? Dimmi...

— Non so, amore, non so...

D'improvviso Furio si curvò, appoggiò la bocca sulla spalla morbida e rotonda di Beba e crudelmente vi affondò i denti.

Un gemito fece sobbalzare il dottore: vide Furio in piedi, livido, tremante, e Beba pallida, con un sorriso sulle labbra e gli occhi gonfi di lacrime che una volontà disperata tratteneva.

— Cosa c'è?

— Nulla — rispose Beba.

— M'era parso... — Il giovane medico volse le spalle, convinto che in quel momento bisognava agir cosí.

— Beba, Beba — implorò Furio — perdonami, sono pazzo, sono vile, sono indegno di te...

— Amore mio, non farmi soffrire. Ti adoro, giuro ciò che vuoi tu! Contento?

— Grazie, ma mi perdoni?

— Sí, cucciolo pericoloso!

Il giovane afferrò una mano di Beba e la coprí di baci.

— Va, Furio, sii tranquillo, calmo, Beba ti adora.

Il volto dell'ufficiale diventò luminoso di gioia, e cosí, commosso e felice, disperato e beato, pentito e pur sconvolto dalla gelosia, fuggí.

Poco dopo il rombare d'un motore rompeva il gran silenzio della giornata estiva. Beba vide che il medico, dal balcone, s'inchinava, ripetutamente.

— Dottore, — pregò — vorrei salutarlo.

Il medico si volse, s'inchinò di nuovo e rispose:

— È già lontano — e subito aggiunse:

— Dopo l'iniezione, potrà alzarsi. Vuole farla subito?

— Sí.

— Io sono pronto.

Beba offrí il braccio, un bel braccio bianco, tornito, sottile al polso e morbido come quello di un bimbo al gomito.

— Nel braccio? È piú dolorosa.

— Non importa.

Quasi a malincuore il medico cacciò l'ago nelle carni, poi mormorò:

— Ecco fatto!

Beba si mosse, e nel movimento la spalla restò nuovamente scoperta.

Non sfuggí all'occhio del medico il segno rossoviola lasciato dai denti di Furio.

— Cosa è? — domandò, accennando alla spalla.

— Nulla.

— I nulla non lasciano segni, duchessa.

Beba si tirò il lenzuolo sulla spalla, ma ormai il medico aveva visto e capito.

— Un morso — pensò, e ne ebbe un brivido.

La donna intuí, piegò la testa da un lato e accarezzò con la fresca morbidezza della guancia quel segno d'amore e di gelosia che Furio le aveva lasciato.

Congedandosi il medico dichiarò:

— Tornerò stasera.

Tornò infatti e trovò Beba sul terrazzo, agitata e sconvolta per il ritardo di Furio.

— Ma non si preoccupi cosí, duchessa. Un incidente qualunque sulla strada, una gomma forata, una candela sporca. Lei starà nuovamente male. Vuole ch'io rimanga un po' mentre attende? L'annoio?

Beba rispose con un balbettío:

— No, come vuole... rimanga.

Cadde sopra una poltroncina di vimini, appoggiò la tempia sulla balaustrata che nasceva dal lago e rimase cosí, dimentica di tutto e di tutti, col cuore in tumulto, diventata un fascio vibrante di nervi in ascolto ai rumori della strada.

Nulla: né il rombo d'un motore, né un passo, né un segno di vita. I cani, silenziosi e cheti, avevano gli occhi socchiusi, il ventre a terra e il muso sulle zampe allungate.

— Beva qualche cosa, signora.

— No, lei piuttosto. Perdoni.

— No, no, per me, nulla. Ma le darò una ricetta per la preparazione d'un *coktail* che piacerà al signor duca.

Beba, subito interessata, chiamò la cameriera, si fece dare un suo piccolo libro di note e disse:

— Detti.

— Ecco: *gin, whisky,* poche gocce di bergamotto, spirito di matricaria e di melissa, alcoolato di menta. Tonico e ricostituente. Cosa vuole di piú?

Beba sorrise, ma all'improvviso il suo cuore parve arrestarsi: i cani s'erano alzati festosi e si lanciavano verso il cancello che s'apriva sulla strada.

Ritornarono ululando di gioia e latrando attorno a Furio.

— Tu? E come? Non ho neppur udito il rumore della macchina.

— Sono venuto a piedi: la macchina, col motore bloccato, è rimasta in una cascina a un chilometro circa. E tu?

Beba non rispose, ma guardò il marito.

La luce che veniva dalle finestre del salotto batteva in pieno sul viso sconvolto di Furio.

— Cos'hai? — domandò Beba trepidando.

— Nulla, sono stanco. Rimani pure, io mi corico subito.

S'alzò anche il medico, diede qualche consiglio a Beba, salutò e se ne andò.

Furio lo guardò mentre s'allontanava, poi, con un cattivo sorriso, disse forte:

— Peccato, ho messo in fuga l'elegante menestrello notturno.

Beba tremò. Furio vide il volto pallido della sua donna, mormorò un « permesso » rabbioso, volse le spalle e lasciò il terrazzo. La donna prese il libretto, la matita, e s'avviò.

Salendo la breve scala di marmo dovette aggrapparsi per non cadere. Entrò nella camera. La lampada da notte fasciava ogni cosa in una luce azzurra e riposante. Furio non c'era, ma dalla stanza da bagno giungeva un rumore d'acqua.

Bussò leggermente.

— Furio, posso entrare?

— Entra.

— Cosa fai, amore?

— La doccia, non vedi?

Il corpo del giovane balzava bello e possente sullo sfondo della parete di marmo azzurro.

— Perché mi guardi?

— Sei bello, Furio.

— Piú del dottorino?

— Ma, Furio, io non permetto questi scherzi!

— Non scherzo. Osservo. Quando stavi male, ti scoprivi per mostrargli il tuo corpo perfetto, questa sera ti trovo in amoroso colloquio con lui sotto la luna.

— Ma se non c'è luna!

— Questo solo sai dire?

— Questo solo.

Ritornò nella camera, uscí sul balcone. Sotto, l'acqua nera e immobile rifletteva una stella; quella che piú bianca e lucente brillava nel cielo.

Con i grandi occhi pieni di lacrime, Beba, per la prima volta, pensò al suo lago; lo rivide nero, cheto come questo, e chiara sull'acqua scura la piccola casa di Zianna.

Pensò alla cara e buona zitellona e la vide tranquilla nel letto verginale, le braccia abbandonate lungo il corpo, e Mustafà ronronante sopra ai piedi. Nella camera appresso una fanciulla riuniva la gran chioma d'oro in due trecce, s'infilava una lunga camicia bianca, recitava una preghiera e si coricava in attesa di un sonno senza sogni.

— Non ti corichi?

Avvolto in una vestaglia elegantissima, Furio, ritto davanti allo specchio, fumava, guardandosi negli occhi.

— Sí, Furio, subito.

Nella voce di Beba, Furio sentí le lacrime. S'avvicinò, le passò un braccio attorno alla vita.

— Beba, non mi capisci?

— No.

— Non capisci che non voglio nessun uomo vicino a te?

— L'ho mandato io a chiamare quel dottore? Tu l'hai pregato di non abbandonarmi e lui ha obbedito.

— Ah! ma per Dio, non gli ho detto di venire a letto con te!

Beba, di scatto, sollevò una mano; ma invece di colpire il viso dell'uomo se la portò alla bocca e l'addentò violentemente.

— Basta, Furio, basta! Lasciami partire, lasciami vivere o morire, ma non torturarmi piú. Cosa ho fatto? Cosa potevo fare, lí, sotto gli occhi del cameriere, alla luce violenta delle lampade elettriche?

— Alla luce ci si danno gli appuntamenti, per il buio — sibilò la voce di Furio.

— Io, io? Ma tu sai che fino a ieri ero una bimba, che non sapevo cosa fosse un uomo, tu sai che i miei sensi dormivano ancora tranquilli!

— Ah! io li ho svegliati, i tuoi sensi, e se non urlano con me, urleranno per un altro: è sempre cosí. Il primo non è che l'accenditore.

— A questo sei già? Cosí parli a Beba tu, tu, che mi hai fatta donna? Ma lo capisci che cosa mi fai? Furio, amore, non sei tu che parli, non sei tu che offendi! Furio...

Si buttò sul petto del marito, gli aprí la vestaglia e lo baciò sul cuore.

Furio si svincolò, andò a buttarsi sul letto.

Curva su di lui, accarezzandogli maternamente i capelli, Beba cercava di chetarne il pianto disperato.

— Portami dove vuoi tu, chiudimi, nascondimi, ma non soffrire.

Desolata, Beba vedeva piangere, vinto, senza poter fare nulla, quell'uomo che ogni giorno sfidava la morte, quel giovane audace che il mondo guardava con ammirazione, quell'essere indomabile che portava due ali sempre piú in alto, sempre piú avanti.

— Furio, guardami, ascoltami. Non te lo volevo dire perché è una sciocchezza. Ma ora... ecco, guarda. Vedi questo piccolo segno sul braccio? Mi sono fatta iniettare l'etere qui, perché quel medico non vedesse nulla di piú intimo del mio corpo, che è tuo.

S'inginocchiò presso il letto, posò la fronte sulla mano di Furio, gliela baciò.

— Beba mia, Beba santa, perdonami, sono pazzo, sono perfido.

Le bagnò il viso di lacrime, e come un bimbo si rifugiò nelle sue braccia amorose.

Nella notte si svegliò. Beba dormiva, ma Furio, accarezzandola piano, le domandò sommesso:

— Mi vuoi bene ancora?

Beba spalancò gli occhi e rispose:

— Ho tanto sonno!

— Beba, dimmi, non amerai nessun altro uomo?

— Oh Furio! Ti adoro! Lo sai.

— Neppure se io dovessi mancarti?

La donna tremò. Mai Furio le aveva parlato cosí.

— Perché mi chiedi questo?

— Rispondimi. Neppure se un giorno tu dovessi rimanere sola?

— Neppure se Dio mi ordinasse d'amare.

— Grazie, Beba!

E all'improvviso, domandò:

— Quando mi darai un bambino? Ma verrà, poi, Beba?

— Speriamolo, Furio.

— Sí, verrà, lo so io. Ora non pensare, sii contenta.

Salí, dal lago, un canto, entrò nella camera, si fece ascoltare:

« *Ma penso che tu non mi ami*
O mio amor.
E questa canzone non brami.
Se è ver, non lo far capire.
O mio amor
Ingannami col mentire ».

E Furio, accarezzando i capelli della sua donna, pregò:

— Anche tu, Beba, cosí, per non farmi morire.

Ma subito, completamente rasserenato, disse:

— Ascolta, domani l'aeroporto è aperto ai borghesi. Vuoi volare con un apparecchio che raggiunge i trecento chilometri?

— Oh, sí, con gioia!

— Verrai con me, allora. Ma, ti raccomando, non farmi soffrire. Ci saranno parecchi ufficiali, tutti bellissimi ragazzi (l'hai mai visto un aviatore brutto?), ti guarderanno; tu non guardare nessuno.

— Non guarderò nessuno.

— Amore mio!

— Cucciolo bellissimo!

— Cucciolo: mi piace.

— Ti voglio bene.

— Per tutta la vita?

— Sí — rispose Beba, sicura.

E allora Furio pensò che la sua vita poteva anche finire l'indomani.

Il mattino, mentre Beba si vestiva, Furio le si avvicinò e le sollevò il viso.

— Che grandi occhi hai!

— Oggi solo te ne accorgi?

— No, ma oggi sono ancora piú grandi perché questa notte d'amore ha lasciato una traccia profonda.

— Sarò brutta!

— Sei bella! Lo vorrei gridare a tutti che li ho segnati io, cosí, questi occhi pieni di luce. E io, Beba? Da due mesi i miei colleghi mi dicono che ho il viso stanco.

— Ah, veramente, io non so come tu possa vivere e volare prodigandoti cosí.

— Ma se questa è la mia vita! Vuoi che dorma, accanto a te? Non ho tempo da perdere, io!

Ancora, il cuore di Beba tremò. Tacque e vincendosi sorrise.

— Perché ridi?

— Tu non sai che c'è un uomo in casa? Un bellissimo uomo? Guarda nel giardino, lo vedrai.

Furio guardò, rise e domandò:

— È il nuovo giardiniere, quel campione? L'hai scelto tu? Ma quello, se fosse una palma, farebbe i datteri. Avrà cento anni!

— Vuoi che prenda un giovane?

— No, Beba. Perché licenziare quel povero vecchio?

— Ma saresti geloso anche di un giardiniere? Di un contadino?

— Dell'aria, Beba. Perdonami. Compatiscimi. E non provarlo, cara, questo male.

— Io non dubito mai.

— Io, sempre. Ma che fai ora? Ti dài il rosso alle labbra?

— Non è rosso, è una crema per mantenere liscia la mucosa.

— Fai vedere. Non voglio che ti dipinga, amore. E questa cipria, perché è così rosea?

— È la solita cipria, Furio.

— Anche le unghie sono eccessivamente rosse.

— Ho dato lo smalto da me e ho forse abbondato. Dovresti accompagnarmi da una manicure, dal parrucchiere. La mia cameriera è poco abile e tu non vuoi che vada sola in città. Come devo fare?

— Cercherò per te manicure e parrucchiere a Milano. Va bene?

— Troverai personale che perda tempo per venire fin qui?

— Pagherò tutto quello che vorranno. Ma tu, Beba, non uscire.

— Come vuoi tu.

Beba era pronta. Indossava un abito turchino, elegante. Ogni particolare dell'abbigliamento era scrupolosamente curato, e i capelli biondi, da sotto l'ala del cappello azzurro, sembravano fosforescenti.

Alta, procace, con quel suo volto di Madonna seria, era destinata a far sostare la folla.

Furio la guardava, taciturno.

— Andiamo?

— Quanta fretta hai di farti ammirare!

— Ho fretta di volare!

— È troppo audace quel vestito!

— L'hai scelto tu!

— Ma, addosso a te, è terribilmente vistoso. E poi, per volare, è piú adatto un abito semplice.

— Preferisci l'abito bianco?

— Sí, Beba, grazie.

Pazientemente Beba si spogliò, cambiò abito, biancheria, scarpe. Indossò un vestito bianco di perfetto taglio maschile, calzò piccole scarpe bianche, calcò sulle trecce un delizioso feltro candido.

In quel candore la delicata pelle appena rosata spiccò luminosa e morbida, i bei capelli biondi sfavillarono e il corpo perfetto, disegnato dalla giacca di foggia maschile, svelò le forme scultoree.

— Cosí, Furio?

— Sei piú bella di prima.

— Vuoi che rinunci? Vuoi che rimanga a casa?

— No, amore, dimmi che sei mia.

— Tua, tutta.

— La bocca, Beba, la bocca!

— Furio, no, fermo, mi sciupi l'abito. Oh, Furio...

Felice, ridente, Furio le disse:

— E ora mettiti il terzo vestito, la blusa è strappata e la gonna è spiegazzata.

Indossando il terzo vestito, Beba aveva un sorriso triste sulle labbra e gli occhi pieni di lacrime.

— Sono stato cattivo, Beba!
— Sei un cucciolo prepotente. Bisognerà metterti alla catena.
— Sí, Beba, ma fa che la catena sia cosí lunga da lasciarmi arrivare fin qui.
La baciò in bocca e fuggí gridando:
— Vieni, la macchina è pronta.

* * *

Come Furio aveva previsto, Beba ebbe un enorme successo. Anche un vecchio colonnello, col petto fregiato di parecchie medaglie al valore, volle esserle presentato.
— Bravo comandante, non sapevo che avesse moglie e soprattutto una moglie cosí... come dire, duchessa? cosí incantevole! Lei vuol volare, vero? Vada, s'affidi a lui, è un magnifico pilota.
— Ecco il mio apparecchio, Beba. Guarda.
Appeso a una sottile catena d'oro, sotto il tagliavento, c'era un medaglione; Furio l'aprí.
— Cos'è? — chiese stupíta Renata.
— È un tuo capello. Lo strappai un giorno mentre accarezzavo la tua chioma. Me lo porto in volo per avere qualche cosa di tuo.
— Furio, come sei terribilmente innamorato!
— Vivo di te, amore...
— Cucciolo, ci guardano. Andiamo.
L'aiutò a entrare nello scafo, le agganciò la cinghia di sicurezza.

— Pronta?

— Pronta.

E via! Salí nel cielo portando alto, alto, verso il sole, la sua donna adorata e il suo cuore pieno di gioia e di tormento.

A un tratto si volse, allungò le labbra, le mandò un bacio e le fece cenno di star ferma.

Beba rise. Per la prima volta vedeva Furio nell'impossibilità di prenderla.

— Amore! — le gridò Furio.

— Cucciolo!

Il rombo del motore coprí le voci, ma i cuori raccolsero le parole prima che il vento le portasse via.

Beba guardava, felice e tranquilla.

Davanti a lei il suo amore manovrava leve e pedaliere con sicurezza elegante. Il velivolo, trascinato dall'astro lucente dell'elica, andava, con piacevole rullío, incontro alla pupilla terribile del sole. Uno strappo alla leva, un aggrapparsi d'ali frementi, e su, in alto, sempre piú in alto! Una matassa bianca bianca di nubi invitò Furio che vi si lanciò nel mezzo. Il rombare argentino parve ovattarsi per un attimo e per un attimo terra, acqua, cose, impallidirono, svanirono. Poi, all'improvviso, l'apparecchio tornò in chiaría, tutto ritornò luce, allegrezza; l'urlo del motore esplose gagliardo e l'apparecchio sembrò affrettare la sua corsa incontro all'irraggiungibile astro d'oro.

Beba sporse il capo a bere il vento della velocità. Che ebbrezza! Furio si volse e vide tanto oro da esserne abbagliato. La donna s'era tolto il caschetto e offriva le trecce al sole, al vento, a Dio!

— Ah, potermi fermare quassú! — pensò Furio — potermi arrestare sulle nubi, nell'immenso cielo, nell'inviolato regno dei venti; dove non ci sono uomini, dove la vita è purezza, silenzio, palpito di stelle, fluire di sereno!

Sogni! Bisognava scendere, e a malincuore spinse in giú la leva. Ali e tiranti fischiarono, cosí da sembrare prossimi allo schianto. Furio richiamò l'apparecchio, che, docile, si rimise in linea di volo, iniziò una discesa dolce e andò a posarsi, lieve ed elegante, sull'acqua cheta che il tramonto incupiva.

Furio mormorò, scontento:

— Come passa veloce il tempo lassú!

— Vorrei poter volare ogni giorno.

— Cara! Lo vedi che sei proprio eguale a me, nata per me? Sei contenta?

— Sí, ma non stringermi il braccio. Ci vedono.

S'era avvicinato Mino Sant'Elmo. Baciò la mano a Renata guardandola con sincera ammirazione. Poi disse all'amico:

— Se vuoi *svignartela*, faremo volare noi quelli che rimangono. Vero, Arditi?

L'interpellato s'arrestò e salutò. Fu presentato a Renata. Ogni bacio dato alla mano della sua donna era una stretta al cuore di Furio.

Mino sorrise, dicendo:

— Possiamo offrirle un po' delle rose nate accanto ai motori?

A un suo cenno un giovane aviere partí veloce, ritornò correndo e offrí un gran fascio di rose a Beba.

— Sei molto gentile — disse Furio — e Beba sarà certamente contenta di offrirti nella sua casa un *coktail* medicinale di cui le ha dato la ricetta un elegante dottorino innamorato.

— Furio! — protestò Beba arrossendo.

— Scherzo, lo sai. Oh, guarda, chi arriva! La vecchia draga.

I due ufficiali fecero l'atto di scappare, ma Furio li trattenne. Avanzava una donna molto elegante, non piú giovane e dipinta come uno strofinaccio da pittore.

Mino Sant'Elmo chiese a Beba:

— Conosce?

— No.

— Lisi Çerise, famosa stella del varietà e famosissima jettatrice. Faccia le corna, duchessa. Ha una passione per gli aviatori! Per me si voleva uccidere, per Villafranca credo sia ancora pronta a svenarsi.

Mino rideva gaiamente, scrutando però il volto della duchessa. Ma il volto rimase impassibile e il sorriso non sparí dalle labbra.

— È ben sicura di Furio — pensò — e ha ragione, è tanto bella.

L'attrice si avvicinò al gruppo. Gli ufficiali non le baciarono la mano: Furio non presentò Renata.

— E questa bella creatura, chi è?

— La duchessa di Villafranca — rispose Furio fissando l'attrice negli occhi.

Beba non tese la mano, abbassò appena il capo, senza sorridere.

— Deliziosa! Perfetta! Se fosse attrice entusiasmerebbe il mondo!

— Non dite sciocchezze — esclamò Furio. — La duchessa di Villafranca non c'entra con le attrici.

— Siete ingiusto, Furio — gorgheggiò la donna — e per punizione mi porterete in volo.

— Ne scendo ora: il mio servizio è finito. Sant'Elmo forse...

— Non posso, sono di guardia — rispose prontamente il giovane. — Arditi è libero...

Arditi, preso alla sprovvista, accettò guardando il compagno con occhi minacciosi.

Lisi Çerise si lasciò issare nella carlinga. Quando già Arditi stava per salire, Mino lo chiamò:

— Cosa vuoi ancora? — domandò quello, tornando.

— Buttala fuori: dirai che è caduta!

Arditi rispose:

— No, la lego bene, te la riporto intera, cosí potrai ritrovartela sempre tra i piedi.

E se ne andò brontolando, mentre Mino, Furio e Beba ridevano.

— Abbiamo conosciuto quella donna nei primi giorni di volo — spiegò Mino — e le davano un nome poco rispettoso.

— Nave scuola — rise Furio.

— E sarebbe tempo di metterla in demolizione — concluse Mino.

S'avanzava il vecchio colonnello.

— Dove è Arditi? — domandò.

— In volo con la vecchia draga.

Il colonnello fece un salto e biascicò:

— Aglie, fragaglie, quaquaraquie, e squaglie — lo scongiuro classico e pressoché infallibile.

Piú tardi non fu possibile rifiutare l'invito di Mino che li volle a cena con lui.

Mino parlò molto; parlò di Furio ragazzo e della loro vita, degli anni passati l'uno vicino all'altro, parlò di Clara e di Elma.

E poiché Beba non conosceva la malinconica storia d'amore, Mino gliela narrò.

Attenta, assorta, guardando Mino negli occhi azzurri, Beba ascoltava pensando a quella bambina di laggiú, desiderandone forse una eguale per lei. Furio non staccava gli occhi dal volto della donna, ne scrutava le ombre e i sorrisi, e finalmente, sembrandogli eccessiva l'attenzione di Beba, beffò:

— Sembri una bimba intenta ad ascoltare la fiaba.

Beba arrossí e Mino pensò:

— Furio è geloso, lo sarei anch'io.

Quando risalirono in macchina per ritornare alla loro casa, era già notte alta. Furio al volante guidava senza parlare. Beba si tolse il cappello, gli posò la testa sopra una spalla, il giovane piegò il viso e la baciò.

— Che brutta giornata, Beba! — e aggiunse subito: — No, la colpa non è tua, la colpa è mia e della tua bellezza.

Arrestò la macchina, abbandonò il volante e si prese Beba tra le braccia.

— Che cosa pensi?

— Alla nostra camera sul lago, Furio — e alzando un poco il viso baciò il giovane sul collo, proprio sotto all'orecchio, dove anche gli uomini hanno la pelle morbida e femminile.

— Cara! — La parola piccina, che egli pronunciava priva di erre, scese ad accarezzare il cuore di Beba.

— Ma mi vuoi dunque bene? Posso credere in questa felicità? Tutti quegli uomini che ti guardavano oggi, che ti spogliavano, come mi hanno fatto soffrire! Non lasciarmi pensare, e guarda, guarda il bel temporale che s'avanza! Ecco qui, sulla mia mano la prima goccia: scappiamo!

Con un balzo la potente macchina s'avventò contro la strada, bolide rosso che fuggiva nella notte portandosi via due innamorate creature bionde.

— Piove, — disse Furio. — Che si fa?

— Corri verso casa.

— Affogheremo prima di arrivare.

— Ecco gli inconvenienti delle macchine da corsa.

— Hai ragione, Beba, dovevo pensare a te. Io, vedi, non ho mai capito le macchine ben tappate e ben imbottite. Amo l'aria e il sole.

— Anch'io, Furio, e adoro questo tuo mostro rosso anche se mi procura di queste docce.

— Impossibile, tu non puoi prendere tanta acqua. Senti, Beba, lassú c'è un alberghetto. Tu hai freddo, lo vedo; ci fermiamo?

— Come vuoi tu.

La macchina si lanciò contro una breve salita e poco dopo Beba e Furio, gocciolanti e ridenti, entravano nella piú affumicata osteria del mondo. S'aveva l'impressione che sostando in quel locale si dovesse poi uscirne saporiti e affumicati come quelle piccole pepate salsicce tanto care ai Tedeschi.

Una ragazzona bruna con un abito dalle pretese cittadine corse incontro ai nuovi arrivati.

— Desiderano?

— Ripararci dall'acqua e toglierci quella che abbiamo addosso. E poi sapere dove potrei infilare la macchina.

— L'automobile la mettiamo sotto il fienile; se ne incarica Giacomo. Per loro c'è una bella stanza. Si accomodino.

Seguirono la ragazzona su per una scala ripida, stretta, semibuia.

— Ecco la camera.

Era una povera camera, bella nella sua povertà, profumata di biancheria pulita, di erba recisa e di terra bagnata.

Due lettini, un monumentale cassettone, un portacatino con una bacinella che sembrava la vaschetta di un uccellino, erano i mobili. Quando la ragazzona se ne andò, dopo aver portato liquori e latte caldo, e aver fatto divampare nel caminetto una viva fiamma, Beba si tolse l'abito e Furio la divisa bianca. Nella lieve camicia, con le trecce sul petto, Beba pareva una grande bambola.

Furio, seminudo, coperto solo dalle brevi mutandine di seta, constatava felice che le sigarette non avevano subito avarie. Era gaio, sorridente, contento dell'incidente che gli preparava una notte d'amore campestre.

La camera era illuminata malamente da una modesta lampadina elettrica che pendeva dal soffitto attaccata a un filo.

— Rompo, Beba?

— Cosa?

— Quest'orribile lampadina — rispose, pronto a tirare un calcio alla lampada.

— Ma no, Furio. Spegni, è piú semplice.

Furio ubbidí e la camera fu tutta rossa per il riflesso della gran fiamma. Il giovane prese una sedia e si mise accanto alla sua sposa. Un'ingenua Madonna di gesso li guardava dall'alto del cassettone. I corpi seminudi erano avvolti nel riverbero e l'oro dei capelli di Beba sembrava patinato di rosso.

— Come sei bella! Ci sono due lettini, Beba; vieni tu nel mio, o sarai tanto buona da ricevermi nel tuo?

— Io dormirò sola nel mio letto.

— Tu credi? Tu che mi metti sotto agli occhi queste stupende gambe, questo corpo perfetto?

— Io ho sonno, sono stanca, e ho freddo.

— Ti preparo un letto qui, vicino al fuoco. Aspetta.

Tolse le coltri da un letto, levò i materassi, preparò vicino al fuoco un giaciglio primitivo.

— To', guarda, sembra un letto orientale. Sdraiati, bella!

Beba si sdraiò, si coprí con i suoi capelli e chiuse gli occhi. Piano piano, Furio le si allungò accanto.

— Come sei tutta calda, e tutta rosea, Beba mia! Oh, io vedo che tu non dormi. Sembri un micio sospettoso e diffidente, pronto a graffiare.

Il sole del mattino li trovò abbracciati presso il fuoco spento.

Furio, balzato in piedi, tirò quattro pugni nell'aria quasi colpisse un invisibile e temibile avversario, e fu sveglio e riposato. Il suo viso portava le tracce della lunga notte d'amore, ma gli occhi erano pieni di gioia. Mai, come quella notte, Beba era stata sua, mai aveva avuto cosí forte e terribile la sensazione del possesso. La placida sensualità di Beba aveva avuto guizzi e fremiti, le belle carni s'erano insolitamente animate, e mai il viso di Beba era stato cosí sciupato e devastato dai baci.

* * *

Un giorno le annunciò:

— Devono mettere a punto i nuovi apparecchi e di me non hanno bisogno. Andiamo a fare un viaggio? In treno o in automobile? Scegli tu.

— Restiamo qui, Furio.

— Andiamo, Beba. La villa ha bisogno di molte cose che mancano. Ho già dato ordine perché l'accomodino come voglio io e come piacerà a te. Ci saranno operai, muratori. Andiamocene. Quando tornerai, troverai una sala per la scherma e la ginnastica e ti insegnerò a tirare col fioretto. Io ho bisogno di tenere i miei muscoli in allenamento. E poi troverai una camera azzurra dove spero di poter mettere presto una culla. Ma chi sa perché non viene questo bimbo? Di chi sarà la colpa?

— Forse è mia, Furio.

— O mia, perché ti amo troppo.

Accarezzò la sua donna, la baciò.

— Lo vedi, Beba? Basta il contatto della tua bocca per farmi impazzire. Sento che oggi io non so vivere che per amare — e sommessamente, fremendo come se un bacio gli corresse dal capo alla punta dei piedi, mormorò: — Qualche volta, dopo averti amata per giornate e per notti intere, m'accade, andando in volo, di sentirmi stanco, d'una stanchezza felice che mi dà le vertigini.

— Ti accade questo, Furio? — chiese impallidendo la donna.

— Sí, ma è cosa di un momento, subito passa, sempre.

— Ma basta un attimo, Furio. Bisogna che tu sii piú buono, amore, bisogna...

— No, Beba, non temere. Non ci sono pericoli per me.

— Furio, Furio, pensa a Beba — implorò cadendogli sul petto.

— Sii tranquilla, bambina mia. Non penso che a te.

Dopo essere stati incerti tra l'automobile e il treno, decisero per il loro piccolo idrovolante. Era gran caldo e solo l'apparecchio dell'aria si prestava a un viaggio.

Beba, serrata nella combinazione di volo che la modellava saldamente dalle larghe spalle alle caviglie sottili, con le trecce strette intorno alla piccola testa, s'accomodò, felice, accanto a Furio.

— Dove mi conduci?

— Non so, scegli tu.

— A La Spezia, vuoi?

— Sí, ma dimmi il perché.

— Perché vorrei conoscere la città dove hai cominciato a vivere.

— Andiamo dunque a La Spezia. T'avverto che voleremo per venti minuti su terra: non avrai paura?

— Con te? — rise Beba.

— Infatti, con me o con un altro, non ci sarebbe nessun pericolo, anche perché sopra ai Giovi ci sono tre minuscoli laghi. Bisogna saperci entrare, però.

— Ma è preoccupazione, la tua! — osservò Beba.

— Forse, ma per te. Io avrò passato i Giovi cento volte e non ho mai pensato al pericolo. Con te, amore, tremo sempre.

— Andiamo, andiamo — gridò Beba impaziente.

Il motore cominciò il suo canto sfacciato e prepotente e quell'angolo di lago tranquillo e deserto fu per un momento tutto un frastuono. Furio girò largo, prese quota e s'allontanò. L'apparecchio andava diritto, sicuro e Furio lasciò i comandi, prese nelle sue le mani di Beba, le tolse dolcemente i guanti. Beba sorrise, e sentí sulla pelle la carezza morbida e tiepida delle mani di Furio. Una « scopola » colpí l'idrovolante.

Furio non la corresse, ma strinse un po' piú le mani della moglie. Andavano cosí, tenendosi per mano, sorridenti e felici, come forse non erano le nostre nonne quando viaggiavano nelle diligenze traballanti sedute accanto ai loro cavalieri.

Seguirono il Po, volarono sopra monti e sopra piani, forse si baciarono fra la terra e Dio, rividero il mare.

Furio mise la prua su Genova perché Beba ne vedesse dal mare tutti gli splendori. Lontano, un po' avvolto nei vapori del mattino, il castello dei Villafranca s'ergeva alto sulla collina.

Lo indicò a Beba che portò le mani alle labbra e scoccò un bacio. Furio sorrise e i suoi bei denti bianchi brillarono nel sole. Sparí Genova, abbagliante di luce, e sotto a loro, correndo, passarono Rapallo, e Portofino, passò la vecchia e abbandonata torre dei Villafranca piantata su una collina spoglia a picco sul golfo di Moneglia, passò la Pietrastella caduta chi sa di dove, o nata chi sa come, in mezzo al golfo, davanti a Monte Rospo. Apparve Deiva con i suoi marmi verdi e rossi e la sua ghiaia bianca, venne Levanto, adagiato nell'arena, apparvero i paeselli delle Cinque Terre aggrappati alle rocce, sbucò Vernazza che vista di lassú pareva tutta sott'acqua, e via sempre, fino a Portovenere dove le case addossate l'una all'altra sembravano tante pecore spaurite. Doppiò la Palmaria lasciando indietro la Baia, risalí il golfo, ammarò davanti a San Bartolomeo.

Un motoscafo partí dall'idroscalo, si fece sotto all'idrovolante.

Furio, che guardava con occhi pieni di ricordi il regno dei suoi primi voli, non udí subito la domanda che un marinaio gli rivolgeva. Lo distolse Beba, dai ricordi, ripetendo:

— Chiedono se ti occorre qualche cosa.

— No, l'apparecchio non abbisogna di nulla, ma vorrei sapere dove posso scendere. Senti — aggiunse — porta questo biglietto alla base.

Scrisse, e al marinaio ritto sulla prua del motoscafo consegnò il biglietto e domandò:

— Chi è l'ufficiale di guardia?

— Il capitano Centurione.

— Ah, allora sono a casa mia. Porta a lui il biglietto.

Il motoscafo partí, l'idrovolante si cullò dolcemente sulle piccole onde e Furio, accarezzando le mani di Beba, scherzò:

— Ecco La Spezia! Azzurra città d'amore, bella quando è bella; ma se alloggia una nuvola, per un mese dà funghi.

— Chi aspettiamo, Furio?

— Qualcuno che mi dica dove posso lasciare l'idrovolante. Perché io sono militare e potrei scendere all'idroscalo, ma l'apparecchio è borghese e non ci può andare.

Un motoscafo si staccò dalla base e si diresse verso l'idrovolante.

— Non m'inganno — mormorò Furio — quello è Centurione.

A prua del motoscafo in corsa, diritto in piedi e con le braccia conserte, stava un ufficiale vestito di bianco. La forte, alta e salda figura si staccava, netta, sullo sfondo di acqua e di sereno.

— Da quanti anni non lo vedevo? — si chiese Furio.

L'idea di ritrovare il compagno dopo tanto tempo gli mise un sorriso sulla faccia.

Ma un improvviso sgomento lo prese e lo fece impallidire. Il motoscafo s'era fermato a fianco dell'idrovolante e il capitano che, ancor lontano, aveva gioiosamente salutato l'amico, rimaneva ora estatico e sorpreso con gli occhi perduti nel viso di Beba.

Ma si riprese e tenendosi con una mano a un montante osservò:

— Ti credevo solo...

— La duchessa di Villafranca — presentò Furio.

Il capitano s'inchinò e sorrise, e quel sorriso, che era il piú limpido sorriso del mondo, passò negli occhi di Furio come un raggio infocato. Dimenticando la propria ansia, domandò all'amico:

— Mi sai dire dove potrò lasciare l'apparecchio?

— Alla base.

E rivolgendosi a Beba:

— Duchessa, lei scende? Accosta — ordinò al marinaio.

Offrí la mano a Beba, l'aiutò a uscire dalla carlinga, a entrare nel motoscafo. La donna, slanciata, tornita, stupendamente disegnata nella combinazione di volo, si trovò davanti al bellissimo ufficiale.

Un *Mas* passò rasente e di corsa, le onde batterono sul fianco del motoscafo, Beba vacillò. Centurione tese le braccia e la sostenne. Furio impallidí e con voce alterata beffò:

— Che cattivo marinaio sei, Beba!

Centurione sorrise dolcemente con quel suo sorriso fatto di malinconica gaiezza e protestò:

— Caro mio, lo schiaffo è stato forte. Vai avanti, Villafranca; ti seguiremo, per non darti onda.

Furio flottò fino all'idroscalo e quel breve viaggio senza Beba gli parve eterno.

Il giovanissimo capitano, con voce morbida e carezzevole, diceva alla duchessa di Villafranca:

— Duchessa, domani La Spezia sarà piú luminosa.

— Perché?

— Perché sono arrivate le piú belle e piú bionde trecce della terra.

* * *

I duchi di Villafranca ebbero un appartamento al « Croce di Malta ». Furio non ricordò neppure che in quello stesso albergo aveva conosciuto il pianto e le smanie di Lery. La camera aveva un grande balcone, sotto al balcone la bella strada, al di là della strada la distesa delle palme chiomate, oltre le palme il bel golfo tranquillo.

Al largo, nettamente disegnata sullo sfondo, con la chiglia nell'acqua e i cannoni nel cielo, stava la

« Cavour », immobile, imponente, quasi minacciosa.

Mentre Beba si vestiva, il campanello del telefono trillò:

— Pronto — rispose Furio — sei tu Centurione? Un pranzo al circolo? Grazie, sí. Oh, Be... — si corresse — la duchessa sarà lieta. Vieni tu a prendermi? Grazie, addio.

Riappese il ricevitore.

— Dobbiamo uscire? — domandò Beba.

Rispose, pensoso:

— Sí.

— Non vuoi? Restiamo.

— No, no. Un invito di Centurione non si deve, non si può rifiutare. È uno dei prescelti per la coppa Schneider e questo significa essere un uomo fuori classe; è decorato al valore, ha al suo attivo voli meravigliosi. È buono, leale, porta con disinvoltura uno dei piú bei nomi... peccato che...

— ... che?

— Che sia tanto bello!

La confessione di ciò che soffriva gli sfuggí:

— Ho paura, Beba!

Piú tardi un cameriere annunciava il marchese Centurione e spalancava la porta per lasciar entrare un enorme fascio di rose. Rose in fascio, solo trattenute all'estremità da un sottil nastro color cielo, profumatissime, tutte rosse.

E, dopo le rose, nel salottino entrò l'ufficiale.

Baciò la mano alla duchessa e le domandò:

— Furio?

— Si veste.

— Lei è già pronta, invece!

L'avvolse in uno sguardo pieno d'ammirazione, osservò la perfetta eleganza dell'abito da pranzo, la stupenda rarità dei capelli e mormorò:

— Io vorrei sapere...

Entrò Furio e Centurione cambiando viso e voce chiese:

— Pronto? Andiamo. Ho la macchina giú. Chiusa.

Salirono sull'automobile, e l'ufficiale mettendosi al volante disse a fior di labbra a Furio:

— Vuoi lasciarmi solo al volante come un qualunque meccanico?

Beba rise prendendo posto accanto al capitano.

E il giovane marchese, sfrenando la macchina pensò:

— Il mio amico questa non me la perdona.

Poco dopo, togliendo il mantello a Beba, continuò la frase interrotta dall'arrivo di Furio.

— Io vorrei sapere dove Villafranca ha scoperto un simile splendore.

E le dita s'arrestarono un attimo, solo un attimo, fra le spalle morbide e i capelli biondi.

Al circolo Beba destò un'ammirazione entusiastica; Furio si vide attorno facce note, visi dimenticati, volti nuovi.

Tutti vollero essere accanto a lui ma egli capí che tutti stringevano la mano a lui per poter baciare poi quella di Beba.

E Beba sorrideva, bellissima, felice, bambina, orgogliosa di quel suo coraggioso ragazzo, indifferente agli sguardi, lieta di essere bella per lui.

Centurione parlava, e la sua voce calda e morbida, che pareva creata per le frasi d'amore, risuonava fra le altre; parlava e, guardando Beba, la voce si faceva piú dolce e la frase si smarriva.

A notte inoltrata egli accompagnò la coppia all'albergo.

— Domani parto: raggiungo i miei bolidi rossi. Ti auguro ogni bene, Villafranca.

Prese la mano di Beba e la baciò. Il bacio osservava strettamente l'etichetta, ma le labbra erano cosí ardenti che la giovane impallidí e tremò come se quel bacio le corresse dalle mani per tutto il corpo, fino ai piedi.

Ritti presso la macchina i Villafranca salutarono il giovane. Egli rimase un poco a guardarli senza dir parola, quasi fosse dolente di doverli lasciare.

Poi, all'improvviso, attaccò il motore e senza sorridere, come colpito da fulmineo presentimento, gridò:

— Addio — sfrenò la macchina e sparí.

A La Spezia Furio rivide anche Amelia, la sposa felice di Ministi; ma quando Amelia e Beba furono vicine, si chiese:

— Come poteva piacermi questa piccola bruna?

Amelia, infatti, vicino a Beba, perdeva tutti i suoi splendori. Ella era la lampada accesa portata fuori in pieno sole e la sua calma luce nessuna l'osservava piú.

Amelia guardò la stupenda moglie di Furio, le sorrise; ma era donna, e scherzò:

— Lei ha preso, duchessa, il posto che io non ho voluto.

Beba non capí, ma Furio, cingendo col braccio le spalle della sua sposa, rispose con voce beffarda:

— E le sono molto grato di quel suo rifiuto, perché se oggi sono il marito della piú bella, della piú buona fra le creature, lo devo a lei, signora Ministi.

Pochi giorni dopo, mentre Beba e Furio passeggiavano vicino al mare, un ufficiale di Marina li sorpassò, si volse e il suo viso s'illuminò di gioia e di stupore:

— Villafranca!

— Comandante!

— A La Spezia?

— Sí, per far conoscere alla mia sposa la città dove ho cominciato a vivere. Ti presento, Beba, il comandante Salazar che mi diede i primi — gli unici — dieci giorni di prigione.

Salazar non era piú giovane, ma la sua snella figura elegante, i capelli striati di bianco e gli occhi chiarissimi, nel viso bruciato dal salino e dal sole, facevano di lui un uomo interessante.

— Sapevo che s'era ammogliato, ma non sapevo che la duchessa di Villafranca fosse tanto bella.

Il complimento gentile e sincero fu accolto da Beba con un sorriso.

Salazar, camminando a fianco della duchessa, le diceva:

— Non ha mai visto un « esploratore », dunque? Venga domani a colazione, Villafranca. Siamo all'arsenale, in bacino. Parleremo di molte cose. Villafranca, lei deve avere progetti stupendi; mi dirà, mi dirà.

E si lasciarono davanti al bianco e maestoso « Croce di Malta ».

* * *

Beba, salendo la passerella che da terra portava a bordo dell'esploratore, tremava. Furio le aveva confessato che soffriva e in lei c'era il timore di vederlo, per involontaria sua colpa, impallidire di gelosia.

— Non andiamo — aveva detto Beba.

— Non si può, è il mio vecchio comandante che m'invita.

— E allora, Furio?

— E allora nulla, Beba. Dimmi che mi vuoi bene, che nessuno ti piace piú di me, né t'interessa piú di me.

— Nessuno, Furio, non pensare male della tua Beba.

— Non penso male di te, io, ma diffido degli uomini. Sei una bimba, tu, non puoi capire.

Allora Beba ponendogli le mani sulle spalle e guardandolo negli occhi l'aveva rassicurato:

— Tu sai cosa ha fatto mia mamma, ma non sai che io vivo nel terrore d'avere un po' del suo sangue nelle vene. Il ricordo di quello scandalo, di quella tragedia, mi salverà sempre, Furio, da ogni pericolo, mi troverà sempre pronta alla difesa in qualunque momento. Non voglio che si dica: « È come sua madre ». Piuttosto, te lo giuro, saprei morire.

— Ti credo, Beba mia!

Ed erano arrivati a bordo, ancora commossi e turbati.

La colazione servita nel quadrato di poppa da agili e silenziosi marinai divertí Beba che stupiva vedendo sparire uno specchio nella parete e apparire un vano oltre il quale era la piccola cucina.

Da quel vano passavano piatti e vivande.

A tavola, col comandante, c'erano un capitano di corvetta, un tenente medico e un tenente di vascello, alto, sottile, elastico come un ginnasta, bruno di capelli, con bianchissimi denti e occhi di velluto nero. Si chiamava Luciano Cori e aveva ventiquattro anni.

Occupava il posto in faccia a Beba, mangiava poco, sorrideva poco e non parlava.

Sembrava assorto in un pensiero dal quale lo distraevano di tanto in tanto i richiami del comandante:

— Cori, si faccia core, parli.

Il giovane abbozzava una smorfia che doveva essere un sorriso e dava qualche vaga risposta.

Dopo il caffè gli uomini cominciarono a parlare con Furio del gran volo. A un tratto Cori chiese permesso, s'alzò, lasciò il proprio posto.

— Che gli è accaduto? — domandò Furio.

— Una tragedia. La sua fidanzata s'è uccisa alla vigilia delle nozze.

— E perché?

— Probabilmente, perché ne amava un altro. Era una bimba e il suo piccolo cervello deve avere avuto un momento di follia. Ma lui, povero Cori, ne soffre atrocemente. Ora sarà in cabina davanti alla fotografia dell'amata.

E il comandante ordinò a un marinaio:

— Chiama il tenente Cori.

Il giovane ritornò immediatamente.

— Comanda?

— Mentre noi fumiamo faccia visitare l'esploratore alla duchessa.

Il giovane s'inchinò e Beba s'alzò.

S'alzò anche Furio, ma il comandante lo trattenne.

— Lei rimanga. Sa meglio di me come sono fatti gli esploratori.

Furio impallidí, guardò la sua donna con occhi disperati e riprese il suo posto accanto al comandante.

La duchessa e Cori salirono in coverta.

Alcuni marinai lavavano sulla tolda, cantando, altri leggevano, altri chiacchieravano. Ma, al passaggio della donna bellissima che portava attorno una gran chioma d'oro, le occupazioni s'interruppero. E mentre Beba infilava una scala che scendeva agli alloggi, Cori sentí un marinaio mormorare:

— Se la Madonna è scesa dall'altare, perché dobbiamo andare in chiesa?

Lanciò un'occhiata all'imprudente e raggiunse Beba per spiegarle:

— Quella è la cabina del comandante. Ai lati, quelle del capitano e del medico; questa è la mia. Le interessa? Vuol vedere?

Ne spalancò la porta e lasciò passare Beba. La cameretta prendeva luce da piccole finestre rotonde, un armadietto era appoggiato a una parete, un tavolino sotto una finestrella.

— Qui c'è il lavamano — spiegò Cori. Girò una maniglia, fece scendere il lavamano mobile che con tutte le sue chiavette era incastrato nella parete.

— Vede? non c'è il piú piccolo spazio sciupato. Qui si calcola il centimetro.

— E il letto? — domandò Beba.

Cori fece scorrere una tenda di velluto rosso e apparve la cuccetta addossata per una lunghezza alla parete e chiusa, torno torno, da tende di velluto rosso. Sulla parete di faccia un ritratto di donna giovanissima, forse non bella.

— La fidanzata, vero? — domandò sommessamente Beba.

— Sí. L'hanno informata, vedo... Oh, non si confonda, duchessa, la mia tragedia la sanno tutti.

— Ma perché si è uccisa? Perché...

Cori ebbe un sorriso tormentato, poi ridendo amaramente rispose:

— Perché voleva sposare un tenorino d'operetta che le aveva sconvolto il cervello e i sensi. La famiglia si oppose e lei si sparò una revolverata.

— Povera piccina! — sussurrò Beba guardando la fanciulla.

— Ah, non è da compiangere, duchessa. Sono io lo sventurato, il ridicolo. Ma lei non sa che il tenente Luciano Cori non esiste piú? Io ho persa la mia personalità per essere il fidanzato di quella che s'ammazzò per amore del tenorino. A La Spezia, Cori è il fantoccio buffo, e il tenorino l'eroe da leggenda. Ma non è finita cosí...

— Cosa vorrebbe fare?

— Lo so io.

— Una sciocchezza, certo. Sfidare il tenorino? Ucciderlo? E poi? L'unica cosa che lei poteva fare, non l'ha fatta.

— Quale?

— Buttare nel mare quella fotografia. Dimenticarla, non tenerla al posto della Madonna e della mamma.

Cori guardò Beba. La bella faccia appena rosata, il profilo netto e puro, l'espressione seria e decisa lo colpirono.

Cadde su una seggiola gemendo:

— Sí, sí, dimenticarla, distruggere ogni ricordo!... Ma io non posso, non ne ho il coraggio.

Beba s'inginocchiò sul letto, staccò il ritratto chiuso in una cornice d'argento, lo portò presso la tonda finestrella, sporse il braccio, lo lasciò cadere nell'acqua.

— Ecco; c'è altro?

— Sí, le lettere.

Aprí febbrilmente un cassetto, ne trasse un pacco sottile.

— Tutte qui?

— Tutte.

— Queste galleggeranno, bisogna stracciarle.

Piano piano, Beba sciolse il nodo che stringeva le lettere, le tolse dalle buste e a una a una le fece in piccoli pezzi.

Stracciandole guardava la scrittura, pretensiosa.

Ne fece un mucchio, che raccolse in un giornale, poi buttò tutto nell'acqua gridando:

— Ai pesci, le bugie!

Sull'acqua galleggiarono per poco i coriandoli bianchi, poi sparirono, trasportati dall'acqua e dall'aria.

— Non c'è piú nulla? Proprio?

— Sí...

— Che cosa?

— Capelli...

— Dia a me.

Da un medaglione uscí un ricciolo biondo, biondo.

— Tanto bionda, era?

— Sí, come lei.

Beba avvicinò ai propri i capelli della morta, sorrise:

— Non sono eguali — e respirò contenta.

Il ricciolo raggiunse il ritratto e le lettere.

— E ora... bisogna guarire.

— Sí... lo dovrò a lei, grazie.

— Una donna bionda le ha fatto male, un'altra donna bionda le avrà dato un po' di pace.

Cori la guardò e mormorò:

— Io non so se lei ha fatto bene o male. So che, guardando lei, l'altra è sparita.

S'inginocchiò davanti a Beba e le baciò le mani.

La donna che credeva d'aver dato la pace non sapeva di aver aperto una nuova ferita in quel cuore malato.

Commossa dal gesto di Cori, Beba gli strinse le mani e scherzò:

— Non sono la Madonna, su!

Cori balzò in piedi, e implorò:

— Andiamo, duchessa, andiamo per carità!

Vide sul volto del giovane un tale smarrimento che, senza chiedersi il perché di quella preghiera, uscí.

Il palombaro, appena risalito a bordo, si liberava ridendo delle grandi e pesanti scarpe. Alcuni marinai s'affaccendavano attorno a un siluro.

— Ritorniamo, duchessa. Quell'arnese ha la testa calda come me: è pericoloso.

Ritornarono nel quadrato, e Beba tremò, guardando Furio.

Era livido, con gli occhi infossati, e le mani gli tremavano nel gesto meccanico di portare la sigaretta alle labbra.

— Divertita, duchessa? — domandò il comandante.

— Sí.

— Ha visto tutto? Anche gli alloggi?

— Sono entrata nella cabina di Cori. Pare una scatola.

Furio ebbe uno scatto, ma si trattenne, e Beba sbiancò.

Quando lasciarono l'esploratore il sole era già scomparso e il golfo era in penombra.

Rientrarono all'albergo senza parlare.

Ma su, nella camera, la gelosia di Furio esplose.

— Nella cabina d'un giovanotto, dunque, è entrata la duchessa di Villafranca!

— Non dovevo? Ho fatto male? — chiese candidamente la donna.

— Ti sei comportata con una leggerezza spaventosa, e con quella tua aria ingenua mi domandi se hai fatto male!

— Ma che dovevo fare?

— Non andare; dovevi rimanere vicino a tuo marito. Cosí si comportano le donne oneste!

— Furio! — urlò Beba.

Ma non disse altro; uscí piano, s'allontanò come se camminasse a fatica e posò le braccia alla balaustrata del balcone.

In lei l'umiliazione e la ribellione si fondevano insieme facendola tutta un dolore.

Era troppo bimba per sapersi difendere, troppo innamorata per poter reagire.

— Ha ragione — pensava — ha ragione lui. Sa di chi sono figlia.

L'immenso amore per Furio la rendeva ingiusta con sé stessa.

Passava gente: un ufficiale, dopo aver camminato su e giú, salutò:

— Buona sera, duchessa!

E Beba, riconosciuto Cori, rispose:

— Buona sera, tenente.

Dalla camera venne un lamento di belva ferita; Beba accorse e si trovò fra le mani di Furio che stringendola e scuotendola fino a spezzarla sibilava:

— Anche questo? Ma io ti rompo, sai?

Per il dolore Beba si piegò, s'accasciò senza piangere, senza un gemito, senza una parola. E rimase a terra, immobile.

— T'ho fatto male?

— No.

Furio la sollevò, l'adagiò sul letto. Due grandi lacrime, le prime che Furio le vedeva, scesero sulla faccia pallida, scivolarono dalle guance, si persero nell'oro dei capelli sfatti.

— Mi par di morire — balbettò.

— T'amo tanto! — mormorò Furio già pentito e vinto.

— Ma sarà sempre cosí, Furio? Io non ne posso piú.

— Nemmeno io, Beba — sussurrò Furio curvandosi ad affondare la bocca nel tepore dei capelli profumati.

— Torniamo a casa — pregò Beba.

— Sí, sí; domani. Vuoi?

— Sí, Furio.

All'alba dell'indomani, l'apparecchio doppiava la Palmaria e metteva la prua su Genova.

— Ci fermeremo dalla mamma — aveva detto Furio.

E il pensiero della sua mamma gli aveva alleggerito il cuore. Aura di Villafranca s'accorse del disagio di Furio davanti a Beba.

— Cosa è accaduto, figlioli?

— Nulla — rispose pronta Beba.

— No, Renata, voglio sentire Furio.

— Beba è una santa, mamma.

— Non è vero, sono imperdonabile.

Aura sorridendo accarezzò i capelli della nuora e le disse:

— Tu sei la piú buona, la piú bella bimba del mondo, e temo che Furio non ti meriti.

— Hai ragione mamma, guarda che cosa le ho fatto.

Prima che Beba, prevenendo il gesto, potesse evitarlo, Furio le fece scivolare dalle spalle il leggero vestito. Le belle braccia, fino all'altezza delle spalle, erano tutto un livido.

Aura balzò in piedi, bianca, terribile, come Furio non l'aveva mai vista né immaginata, e con voce affannosa proruppe:

— Tu, tu? Un Villafranca? Vattene! Vattene via, che non ti veda, che non ti sappia vicino a me. Via!

Furio era diventato bianco come la propria divisa. Beba gli si buttò sul petto e con voce piena d'amore gli disse:

— Non soffrire, amore, la mamma perdona!

— No — rispose Aura.

Allora Beba, prendendo le mani della mamma di Furio, implorò:

— Nemmeno se io chiedo perdono per Furio?

Senza sorridere Aura offrí la mano al figlio e mentre Furio la baciava mormorò:

— Se mi avessero detto che t'eri fatto male, non avrei sofferto cosí.

— Non accadrà piú, mamma.

Ma Aura scosse il capo e desolatamente dichiarò:

— La gelosia è il peggiore dei mali, non se ne guarisce mai.

E guardando Beba appoggiata a Furio con dolcissima posa di assoluta dedizione mormorò:

— Povera bimba! Che castigo sarà per te questa tua bellezza!

Ritornarono nella casa sul lago e Beba ammirò tutti gli abbellimenti voluti da Furio.

Sulla soglia d'una cameretta imbottita di raso, si arrestò col batticuore.

— Verrà l'ospite atteso? — domandò Furio.

— Io credo, amore. Ma se tu vuoi che nasca questa creatura, non devi amarmi cosí.

— Non capisco, Beba.

— Mi ami troppo e mi fai piangere.

— L'ha detto mamma, vero?

— Sí — mormorò Beba.

Furio arrossí e con amarezza mormorò:

— Con la mamma ti confidi. Con me, no. Perché? Questo mi fa male, Beba.

— Lo so — ella rispose piano — ma se ti avessi detto questo in un altro momento, cosa avresti creduto tu?

Allora negli occhi di Furio passò una luce di spasimo e mormorò tenendola nelle braccia:

— Come devi giudicarmi, Beba!

Ma la donna sussurrò:

— Vuoi che giudichi il mio Furio, qui, nella cameretta dove dormirà il nostro bimbo?

Il giovane prese la bella testa bionda fra le mani, curvò la bocca sulla bocca e baciò Beba tenendola sul cuore.

* * *

Passarono cosí, pieni di dolcezza amorosa, gli ultimi giorni della licenza di Furio.

L'ultimo giorno, ed era gran caldo, Furio domandò a Beba:

— Tu sai nuotare, vero?

— Sí.

— Tuffiamoci nell'acqua.

— Non ho costume da bagno qui.

— Ma ci sono i miei maglioni.

Beba, felice, entrò nell'aderente maglione di Furio. Il corpo florido, alto e perfettamente tornito, apparve, cosí inguainato, in tutto il suo splendore.

— Il tuo modo d'essere bella mi dà quasi una sofferenza — osservò Furio. — Guardati.

Ella, nello specchio, non vide la propria immagine, ma vide quella di Furio che nel maglione nero sembrava un giovane, bellissimo atleta.

— Scendi, Beba. Io mi tuffo di quassú.

— Anch'io.

— È alto, bada.

— Non temere.

Balzò dall'alto della balaustrata e con un tuffo preciso e classico fu nell'acqua.

— Brava! — gridò Furio ammirato.

Raggiunse Beba che nuotava vigorosamente al largo.

— Hai le trecce bagnate.

— Asciugheranno.

— Allora sciogli i capelli, Beba.

L'aiutò a sfare le trecce, e, guardandola beato, disse:

— Ora sei proprio la mia sirena.

Beba rise e fuggí inseguita dalla gran chioma bionda.

— Ah, tu credi di scappare! — rise Furio afferrandole un piede roseo e infantile.

Beba rideva, bagnata, scintillante, felice.

— Mi vuoi bene, sirena?

— Ti adoro.

— Per sempre?

— Per sempre.

Le baciò le braccia fresche, la bocca ridente e propose:

— Torniamo?

A cento metri dalla villa, Furio, che nuotava a fianco di Beba, domandò:

— Chi c'è nel giardino?

— Un uomo vestito di bianco.

— Sant'Elmo! Cosa vorrà?

E subito fu la gelosia che diede la risposta.

— Vuol rivedere Beba...

Accigliandosi all' improvviso pensò che Mino avrebbe visto la sua donna seminuda.

Erano giunti sotto al giardino e Sant'Elmo salutava gioiosamente.

Beba era presso la scala che saliva alla casa. Sant'Elmo scese alcuni gradini per andarle incontro, ma vedendo Beba uscire dall'acqua s'arrestò estatico.

Bianca e bionda, appena coperta dal breve aderente costume di maglia che scolpiva il poco che copriva, con i capelli che s'erano attorcigliati in cento anella e le cadevano stillando fino ai piedi, Beba pareva una figura irreale.

— Buon giorno, Sant'Elmo — salutò scuotendo le gocce d'acqua dalla mano e offrendo un dito.

Mino si scosse, sorrise, e lealmente dichiarò:

— Sono rimasto senza respiro: perdoni.

Vide, alle spalle della signora, il doloroso sorriso di Furio e tacque.

— Vatti a vestire — ordinò Furio, e Beba, respingendo l'accappatoio che la cameriera le offriva, s'allontanò correndo.

— E tu?

— Io mi asciugo al sole — rispose Furio.

— Perdona la mia estatica ammirazione, ma, credi, io non guardavo la donna: guardavo la bellezza e pensavo che Dio, il giorno in cui creò la duchessa, doveva avere sete di cose perfette. Una donna così, solo a guardarla, deve rendere felici.

— O disperati!

— O disperati — ripeté Mino pensoso.

Furio continuò:

— Tu conosci la mia vita e puoi dire se ho mai avuto un attimo di esitazione. Al pericolo sono andato incontro con un sentimento che somigliava un poco alla voluttà; alla comoda e brillante esistenza che il mio nome e la mia posizione mi potevano dare, ho preferito questa vita irrequieta e qualche volta disagiata e pericolosa. Tutto questo l'ho voluto io e ne ero contento, ma ora — cerca di non fraintendermi — ora ho paura.

Mino strappò un fiore che sciupò e buttò nell'acqua, prima di rispondere:

— Ti credo. Hai paura di perderla!

— No! — esclamò Furio. — Ho paura di morire. Non per me, per lei, perché andandomene essa resterà sola e amerà un altro.

Mino Sant'Elmo, con la punta della scarpa, tormentava la ghiaia. Mai fra loro la parola *morire* era stata pronunciata.

E chi pensava a morire?

Pensa forse alle proprie ali chiuse nell'eterno riposo l'aquila quando sale spavalda verso il sole, o scende crudele sulla preda?

Disse a Furio:

— Questo matrimonio, che doveva darti la completa felicità, ha distrutto invece anche quella gioia che prima era in te.

— È vero — confermò Furio.

— E credi di poter vivere sempre cosí, e soprattutto di far vivere a lei, sempre, una vita tesa fra un bacio e una scenata? Non hai paura che si ribelli? Che si stanchi?

— Ah! Non ne avrà il tempo! — mormorò Furio.

Mino lo guardò e vedendogli sulle labbra un sorriso di triste ironia gli posò le mani sulle spalle:

— Oh, non mi combinerai qualche sciocchezza, tu?

Gli occhi di Furio guardavano, rapiti, il balcone dove era apparsa Beba.

— Non scendi, cara?

— Cosí? Con i capelli sciolti? Sono bagnati ancora.

— Vieni, c'è sole anche qui.

Beba rientrò, e Furio scappò via per riceverla nelle sue braccia sul primo gradino della scala.

— Io vado a vestirmi, rimani tu con Mino.

— Sí, Furio. Ti fidi?

La domanda, che voleva essere scherzosa, tradiva il timore della donna. Sant'Elmo sorrise vedendo Beba tutta vestita di capelli.

— Io non ho mai visto e neppure immaginato una chioma come la sua.

— Ssss! Furio è in camera, può udire.

— L'ho offesa?

— No, Sant'Elmo. Ma se sapesse come mi fa male il dolore di Furio.

— Il dolore di Furio, — ripeté Mino. — E lei? Lei non soffre?

— Sí, atrocemente. Ma cosa importa se soffro io? È lui che ha tanto bisogno di tranquillità e di gioia.

— Com'è buona! — mormorò Mino quasi a sé stesso.

Un motoscafo passò al largo, descrisse una curva, passò di nuovo. Giú, verso il paese, ritornò sulla propria scia, deviò, mise la prua sulla villa. S'arrestò sotto il giardino e un uomo salutò:

— Buon giorno, duchessa.

Beba guardò sorpresa.

— Non mi riconosce?

— Oh, sí, ora sí. L'abito borghese mi lasciava perplessa.

E guardando al balcone:

— Furio — chiamò — c'è il tenente Cori.

— Chi? — domandò Furio apparendo al balcone col dorso nudo.

— Cori!

Mino vide Furio impallidire.

— Posso salire, comandante?

— Venga, venga!

Sant'Elmo capí che solo la cortesia suggeriva quella risposta e, prima che il tenente di vascello mettesse piede nel giardino, di corsa, raggiunse Furio.

— Chi è quel Cori?

— Un tenente di vascello che abbiamo conosciuto a La Spezia.

— Cosa vuole?

Le mani di Furio tremavano attorno al nodo della cravatta. Parlando nello specchio rispose:

— Cosa vuole? Veder Beba. Per me, già, non è venuto. Ma tu — si voltò di colpo a guardare l'amico — perché sei qui? Torna giú; se ci sei tu, sono piú tranquillo.

— Puoi essere tranquillo egualmente. La duchessa non ha bisogno di paladini.

— Dov'è Beba?

— Dev'essere entrata; in giardino non c'è piú. Ma dove vai? E la giacca?

Furio se ne era andato cosí, in calzoni e camicia. Mino s'avviò per raggiungerlo, ma s'arrestò all'improvviso e raccolse un pezzo di seta rosa: una piccola camicia femminile abbandonata sul bracciolo di una poltrona. La chiuse nel nido delle due mani e, quasi compisse un gesto sacro, la portò alle labbra. In quel momento s'accorse che Clara era sparita per sempre e che a lei lo legava solo l'amore per Elma.

Ma arrossí e mormorò:

— Si può essere mascalzoni, ma una volta sola!

Aprí le mani e la piccola camicia cadde, cadde lentamente perché era tanto leggera, s'ammucchiò soffice sul tappeto di lucente velluto verde e parve una gran rosa, completamente sbocciata.

Discese, entrò nel salotto.

Furio, pallido ancora, ascoltava, o fingeva di ascoltare, Cori che narrava.

— Dopo tanto tempo, una licenza. Ne approfittai per vedere i laghi; sapevo che erano qui, mi sono permesso una breve visita.

Villafranca accolse l'ingresso di Mino con un sorriso di sollievo.

Presentò Cori all'amico, e subito la conversazione parve piú animata.

— Sí, vengo anch'io dalla Marina — confermò Sant'Elmo.

— E non sente la nostalgia del mare?

— Proprio no, perché mare ne vediamo quanto lei, e forse di piú.

— E neppure la differenza di vita? È piú elegante, piú brillante la nostra, e le emozioni sono maggiori.

— Sono d'accordo con lei se mi parla di vita elegante e brillante, e, mi lasci aggiungere, comoda; ma se mi parla di emozioni... Quali sono le vostre emozioni? Le emozioni sono dove è il pericolo, e le vostre corazzate, gli esploratori, i caccia, sono ben sicuri e saldi! Il sommergibile, questo mostro sí, può ancora dare i brividi, ma lei non è sommergibilista, e appartiene a quella schiera fortunata, certo perché meritevole, che nell'inverno può dormire nella cabina ben riscaldata, e nell'estate può far funzionare un allegro ventilatore per la cuccetta troppo calda.

— Ma quando andiamo lontano? Quando ci scaraventano in luoghi malinconici? Gaeta, per esempio. Che noia!

— Sí, noia perché mancano divertimenti e le donne sono appena all'altezza dei marinai: ma il vostro bel quadrato di poppa l'avete sempre, e la vostra casa galleggiante è sempre lí, amica, confortevole. Ma vorrei vedere lei, che mi parla di emozioni, andar giú con un apparecchio da caccia, fino a S. Nicola di Varano, trovarsi senza benzina e dover pernottare in quel luogo, dormendo su un materasso lurido e mangiando ciò che neppure un cane randagio mangerebbe. Cari miei, la vostra è poesia. Noi viviamo la realtà!

S'accorse d'essersi abbandonato troppo, e si corresse:

— Del resto, chi le parla è un ex ufficiale di marina, e io ho degli ottimi amici nella Marina, anzi, i miei migliori amici sono ufficiali della Marina passati agli idrovolanti. Come Villafranca, Centurione...

Pronunciando il nome di Centurione gli uomini si guardarono in viso, e Furio, accennando con gli occhi a Beba, sommessamente avvertí:

— Non deve sapere.

E alla sua donna con voce piena d'affetto consigliò:

— È forse meglio che tu rimanga al sole, Beba. I tuoi capelli gocciolano ancora.

Beba, felice e bambina, uscí:

Sant'Elmo la raggiunse e Furio raccomandò a Cori:

— Silenzio; mia moglie non deve sapere che Centurione è morto. Mi preparo anch'io per un volo non facile e non voglio impressionarla.

— Ma come è avvenuta la fine di Centurione?

— Ah, è ben difficile rispondere! E nessuno potrà dire mai cosa è avvenuto lassú mentre quel bolide rosso andava a 600 Km. all'ora.

— Seicento chilometri! — mormorò Cori.

— E Centurione li ha affrontati sorridendo. Forse quel sorriso cosí bello ha indispettita la morte. E se l'è preso perché non le ridesse piú sulla faccia. È rimasto due ore sotto acqua e quando l'apparecchio venne riportato a galla lui era ancora lí, con le mani sui comandi, legato al posto di manovra. Aveva un piccolo, leggiero graffio al mento, null'altro. La morte che gli aveva preso la vita, non era riuscita a toglierlgli quella maschia bellezza che aveva fatto palpitare tanti cuori.

— Povero ragazzo!

— No, sa, non è da compiangere, chi, in piena giovinezza, muore per un ideale. Quello che è accaduto a Centurione può accadere a me: non faccia scongiuri, non servono..., ma se cadrò non sarò un poveretto, perché avrò potuto donare il mio nome, i miei sogni, il mio amore, la mia giovinezza. E, badi, deve essere ben ricco colui che può dare tutto ciò!

Sant'Elmo, guardando i capelli di Beba che asciugando diventavano soffici e d'oro sotto l'oro del sole, le domandò sommessamente:

— Non si è chiesta, duchessa, perché il tenente Cori è venuto fin qui?

— No, — fu la risposta sincera.

— Glielo dirò io: per lei.

— È pazzo!

— Chi? Io o lui?

— Lui!

— Eh! non è pazzo, no. È un uomo. Lei è tanto bimba, forse non capisce.

— Ma non è un gentiluomo; lo sa che io ho Furio; sa che non posso, non devo amare, e neppure ricordare un altro.

— Queste cose le dice lei, duchessa, sono esatte, oneste, umane. Ma le faccia capire ad un uomo che ha perso la testa! Gli uomini sono tutti eguali, duchessa!

— Nooh! Lei, per esempio, non perderà mai la testa perché so che vuol bene a Furio.

La gran rosa di seta caduta sul tappeto riapparve a Mino che si scosse e rispose:

— Sí, duchessa, voglio molto bene a Furio.

— Vede? E perché gli altri non possono essere come lei?

— Non tutti gli uomini possono voler bene a Furio. Cori, per esempio.

— Oh, ma io dirò a Furio...

— Lei non dirà nulla. Ma se Cori dovesse darle noia, o se l'ammirazione di quel ragazzo (è poco piú di un ragazzo) dovesse diventare indiscreta, ne parli a me. A Furio, no. Non deve soffrire, non deve tremare. Ha bisogno di tutta la sua tranquillità in questi giorni.

Beba guardò Mino negli occhi e sommessamente domandò:

— È grande il pericolo, vero?

— No, duchessa. Ma deve essere grande la nostra serenità e la fiducia in noi stessi.

— Vorrei che quel giorno non venisse mai e vorrei che fosse già passato.

— Non c'è pericolo. Glielo giuro. Non è vero che questi nostri apparecchi siano pericolosi. Non lo sono quelli della Schneider che raggiungono i 600 Km. all'ora.

Centurione, composto per l'ultimo sonno, gli riapparve all'improvviso e, quasi a rendere piú triste il ricordo, Beba domandò:

— Lei conosce Centurione?

— Sí, fui con lui e Furio all'Accademia.

— Parteciperà alla Schneider, vero?

— È vero.

— Chi sa la sua mamma come trema!

Il viso di Mino si contrasse dolorosamente e, guardando nell'acqua ch'egli vedeva tutta lucente e confusa, rispose:

— Perché dovrebbe tremare? Sa che suo figlio è un eroe.

Furio, con Luciano Cori, li raggiunse.

— Cori se ne va.

— I miei omaggi, duchessa. Potrò tornare prima che la mia licenza finisca?

Beba guardò Furio, guardò Mino: tutti e due la guardarono e le loro facce avevano la stessa espressione dolorosa.

Rispose:

— Furio fra due giorni rientrerà all'aeroporto. E quando sono sola non ricevo.

Cori arrossí, s'inchinò, baciò la mano a Beba, strinse quelle di Furio e di Mino, ridiscese la scala, saltò nel motoscafo e se n'andò.

— Non ne potevo piú! — soffiò Furio.

Poi, guardando Beba, le disse:

— Grazie, Beba.

— Sei contento?

— Felice.

— Posso andare a pettinarmi?

— Sí, ma non chiamare la cameriera, t'aiuto io.

— Ma vuoi lasciare Sant'Elmo solo?

— Non importa, duchessa. Tanto, io rimango a cena. Permette?

— Certo.

— E allora vada a raccogliere in trecce il sole.

— Scusa, sai! — gridò Furio andandosene.

Mino seguí con occhi crucciati la coppia che spariva. Poi vide Furio avvicinarsi ai vetri del balcone, accostarli, sorridendo. Pensò alla piccola camicia rosa, ai capelli biondi, al corpo stupendo di Beba e una improvvisa vertigine lo fece vacillare.

Immaginò Beba tra le braccia di Furio e ne soffrí, quasi ella fosse la sua donna.

— Gelosia di maschio, tormento d'innamorato — si disse.

I minuti passarono lenti, gli parvero ore; senza pensare a ciò che faceva chiamò:

— Furio!

Ma Furio non rispose. Solo piú tardi Beba aprí (e aveva ancora i capelli sciolti e forse era nuda sotto la vestaglia) e con la sua bella voce, piena di morbida stanchezza, domandò:

— Voleva Furio? Scende subito.

Villafranca s'inquadrò nella porta-finestra del salotto e i suoi occhi, perduti in un'ombra scura, erano lucidi e ridenti. Ma Sant'Elmo notò che la mano, portando la sigaretta alle labbra, tremava. Furio andò vicino all'amico, infilò un braccio sotto quello di lui e gli disse:

— Vieni, vuoi vedere la mia sala di ginnastica? Ho riunito tutto: scherma, boxe...

Tenendosi a braccetto s'avviarono; Sant'Elmo annusò:

— Che buon profumo! Acqua di Colonia?

— Sarà il profumo di Beba. Quando l'accarezzo me ne rimane sempre l'odore su gli abiti e su la pelle. Infatti, senti...

Come un piccolo uomo che si vanta del primo morso avuto dalla cocottina sentimentale e lo mostra ai compagni, cosí Furio, ridendo, mise la sua mano sotto il naso dell'amico.

E Mino baciò la mano di Furio, mormorando:

— Signora, i miei omaggi.

Villafranca gli allungò uno scapaccione, ma Sant'Elmo, tremando di piacere e di desiderio, si passò la lingua sulle labbra perché avevano baciato il profumo che Beba aveva sul corpo.

La donna li raggiunse poco dopo.

Furio abbandonò il fioretto che teneva in mano, per correrle incontro.

— Beba — sussurrò baciandole una mano e avvolgendola in uno sguardo pieno d'amore.

Aveva le trecce lente raccolte sul collo, e i capelli divisi in mezzo alla fronte; indossava un abito soffice, pieno di aria, di luce, e biondo come lei.

Sulla spalla, accanto alla pelle senz'ombre, una grande e fresca rosa bianca litigava, senza vittoria, col candore della pelle e con lo splendore delle perle.

Mino pensò a Clara.

Piccola, fragile, bruna, lontana, perduta, quasi dimenticata. Gli parve brutta e gli sembrò di non averla amata mai.

Ma incontrò gli occhi di Furio e trasalí.

Erano occhi pieni di diffidenza, di sospetto, di gelosia. Pensò:

— Io divento scemo. Ecco Furio inquieto. Perderò questo amico, farò soffrire lei. Ma è possibile che io sia tanto malvagio?

Un cameriere annunciò che il pranzo era servito. Ma, contrariamente a quanto Beba aveva sperato, il pranzo non fu lieto. Mino era distratto, Furio silenzioso. La giovane si chiedeva che cosa poteva essere avvenuto fra loro, senza trovare una risposta. Dopo il caffè, vedendo che il disagio continuava, propose:

— Volete un po' di musica? Piace l'arpa a lei, Sant'Elmo?

— L'adoro.

Passarono nel salone e Beba prese posto davanti all'istrumento.

— Ha qualche preferenza, Sant'Elmo?

— No, duchessa; sono un ignorante che ama la musica.

— Schubert, Furio? La nostra suonata?

— No — rispose il giovane. Beba curvò la testa,

scelse a caso fra le musiche, suonò una romanza senza parole.

La musica li avvolse, li prese, li uní e li staccò.

Mino doveva sorvegliarsi per non guardare troppo Beba. Sentiva lo sguardo di Furio andare da lui alla donna, e aveva paura. Poi la duchessa s'alzò, s'alzò anche Mino.

— Grazie, duchessa.

Le sfiorò appena la mano con un bacio. Furio accompagnò l'amico fino all'automobile già ferma davanti al cancello.

— Grazie, Furio.

— Di che?

Ma Sant'Elmo non si decideva a parlare.

— Vuoi qualche cosa? — domandò Furio.

— Ho ciò che volevo: la tua mano.

Poi sommesso, domandò:

— Anche di me, diffidi?

— Non so...

— Vuoi che non venga piú?

— Perché? Non sei sicuro di te?

— Sí, Furio, e posso giurarti sul mio onore di soldato che saprò comportarmi come vorrai tu.

— Io mi fido di te.

— Sii tranquillo.

Sfrenò la macchina e partí.

Furio entrò in camera e trovò Beba già intenta alla toeletta notturna.

— Hai sonno, Beba?

— No, Furio, perché?

— Credevo che con Mino se ne fosse andata la vivacità che t'ha fatto brillare tutta la sera.

— Vuoi che mi rivesta, Furio?

— No, coricati. Io fumo una sigaretta. Non ho sonno.

— Rimango con te. Vuoi?

— Sí.

Beba prese tanti cuscini e si buttò a terra sul largo balcone: Furio spense le lampade violente, lasciò la luce azzurra.

— Siedi qui, Furio, con me.

Il giovane si allungò a terra, posò la testa in grembo a Beba.

— Non parli? Cos'hai?

— Nulla, Beba.

— Non mi baci?

Le diede un piccolo bacio sulle ginocchia.

— Solo questo?

— Hai bisogno di baci stasera?

— Ho sempre bisogno dei tuoi baci.

— Non me ne sono mai accorto, perché, se puoi, mi sfuggi. Lo fai per me, dici. Stasera però a me non pensi. Mi vuoi?

— Se tu mi vuoi, Furio!

— Ma perché non hai il coraggio di dire la verità? Perché non mi dici che l'affascinante Cori e il bel Sant'Elmo t'hanno messo la febbre nei sensi e che io t'abbisogno per calmare questa tua febbre?

Beba fuggí, pazzamente fuggí, per non udire. Aprí

la porta della camera, scese le scale correndo, andò a rifugiarsi in un angolo del salotto.

Furio la raggiunse e le disse con voce cattiva:

— Guarda, sei proprio andata a finire sulla poltrona ancor calda di Mino.

Balzò in piedi, Beba, volle camminare, andare, ma Furio l'afferrò ai polsi e le sibilò all'orecchio:

— Anche la nostra romanza, volevi suonare per lui, tu che, quando eri lassú, sul tuo lago, ti facevi tanto pregare quando volevo sentirti suonare. Anche il nostro Schubert, per lui!

— Io credevo di far piacere a te, Furio. Ah, mi fai male!

— E non fai male a me, tu? Ma non lo vedi, cosa soffro? Ma lo sai tu che quel Cori è venuto per te? E gli occhi di Mino non li hai visti? Mi hai rubato tutto, tu! La pace, la gioia, l'amicizia...

— Vuoi che me ne vada, Furio? Io non volevo farti soffrire.

— Andartene? Le duchesse di Villafranca non hanno mai abbandonato la loro casa!

— Vedi, Furio? Se non mi avessi sposata, oggi potrei andarmene senza disonorare il nome dei Villafranca. Tu non soffriresti cosí e nemmeno io.

— Tu? Tu soffri?

— Ma che cosa sono io, dunque? Perché non dovrei soffrire? — gridò. Poi, sommessamente e desolatamente, disse:

— Infatti, che cosa sono? Una bella bimba da prendere quando il desiderio tormenta, da insultare quando il desiderio tace. Cosí, cosí è la mia vita, Furio. Baci e frustate. Quando tu non mi butti sul letto, mi schianti a terra sotto le tue mani che mi torturano.

S'accasciò sul tappeto e Furio le cadde accanto invocando:

— Mamma, mamma!

— E io non posso neppure chiamare la mia mamma. Io non ho che te, Furio, e tu mi fai male.

— Perdonami.

Nascose il volto nel grembo di Beba, mormorando parole di pentimento e d'amore.

Poi le braccia si chiusero attorno al corpo di Beba e tentarono trascinarla giú, con la schiena sul tappeto. Ma la giovane si svincolò e balzando in piedi, fremente, affannosamente, gli disse:

— Cosí, sempre cosí, no! Non sono una bestia, sono una donna! Ho un'anima, un orgoglio, un cuore! — E tremava tutta.

— Beba, Beba, calmati — implorava Furio. — Sono tranquillo, hai ragione tu. Vuoi, vuoi suonare per me, solo per me la romanza di Schubert?

Beba non rispose, non si mosse.

Furio, accasciato in una poltrona, il volto fra le mani, non si mosse piú, Beba lo vide cosí e ne ebbe pietà.

S'alzò, lieve lieve raggiunse l'uomo, s'inginocchiò davanti a lui, gli appoggiò la testa sulle ginocchia.

— Non suoni, Beba?

— No, se tu piangi.

— T'ho fatto male?

— No.

Furio guardò le braccia. Attorno ai polsi un cerchio rosso si chiazzava già di viola.

— Povera, povera bambina mia! Ah, tu non potrai mai perdonarmi tutto il male che t'ho fatto, neppure se dovessi morire.

Con un grido Beba gli chiuse la bocca, si avvinghiò a lui, e, disperata, pazza di terrore, tremante di sgomento gli parlò:

— Ti perdono, ti adoro, sono tua, ma non dirmi cosí, Furio! Non ho che te al mondo, amore, amore mio santo!

Il giovane se la prese nelle braccia, se la tenne stretta sul cuore. Poi la sollevò e la portò via. E ancora una volta dimenticò il suo tormento fra le braccia di Beba, ancora una volta pensò che la vita è bella e che bisognava viverla felice accanto alla piú dolce delle creature.

* * *

Quando Furio ritornò all'aeroporto apprese che il gran volo era rimandato. Gli apparecchi che avevano servito all'allenamento non erano certo adatti per il volo dimostrativo e i nuovi non avevano mantenuta l'autonomia sperata.

— Quanto tempo ancora! — brontolò Sant'Elmo, impaziente come un due anni al palo.

— E cosí, addio lunghe e calde giornate!

— Tu credi che la stagione potrà influire sul nostro viaggio?

— No, se potremo partire prima che l'inverno ci venga addosso.

— Partiremo, partiremo.

— E dopo chiederò un anno di licenza.

— Tu? — domandò stupíto Mino.

— Sí, voglio vivere per un anno solo con Beba. Forse, cosí, passerà un poco questa gelosia che mi fa tanto ingiusto.

— La gelosia è una conseguenza dell'amore; fin che avrai amore, soffrirai.

— Allora la mia vita sarà tutta un tormento! — Tacque; poi, quasi svelando un pensiero, domandò:

— Ma tu non eri geloso di Clara?

— Forse, ma Clara non era come la tua sposa! Spariva nella folla. La duchessa invece è unica e la gente si ferma quando passa. E poi come fare confronti tra lei e Clara? Piccola, fragile, bruna, la mia donna: alta, radiosa, bionda la tua. Clara era la bontà, l'affetto, la tenerezza. La tua, la bellezza, la luce, la passione. Quando lei appare si pensa, per un attimo, ai racconti delle fate. Con quella chioma d'oro, con quel viso di Madonna seria, quel corpo pastoso e florido, quella pelle...

S'interruppe e rise arrossendo:

— Sarai geloso ora!

— No, ho la tua parola di soldato.

— Ma tu devi aver fiducia anche in lei. A che servirebbe tutto il mio amore se Beba lo rifiutasse? E la tua donna avrà solo te nella vita. È di quelle che non smarriscono la strada.

— Se tu sapessi quanto bene mi fai!...

Sulla linea di volo era apparso il colonnello.

I due giovani si misero sull'attenti, e il superiore, stringendo cordialmente le loro mani, annunciò:

— In questo mese io mi attendo grandi cose da loro. So, non dipende dagli uomini, ma dagli apparecchi.

— Li sapremo domare, colonnello — sorrise Furio.

— Ne sono certo. Dunque, per ora l'allenamento continuerà col ritmo di prima. Ma un mese prima del volo io vi chiederò un altro sacrificio.

— Siamo pronti.

— Bisognerà rimanere al campo, non allontanarsi per nessuna ragione, nemmeno per dormire. Ho già dato ordini perché vengano preparati gli alloggi.

Furio impallidí mortalmente, ma non aprí bocca. Soldato nell'anima, abituato alla disciplina fin dai primi anni di giovinezza, aveva imparato a ubbidire assai presto senza discutere. Ma il suo pensiero era tutto rivolto a Beba.

— È un sacrificio grande, questo che vi chiedo, figlioli, lo comprendo, soprattutto per lei, Villafranca, che è ancora in luna di miele, ma è necessario. Avete bisogno di tutta la vostra serenità e di tutta la vostra forza. Io non diffido di voi, ragazzi, ma so che alla vostra età si sprecano con infinito entusiasmo le energie, si veglia invece di dormire, ci si sfibra invece di riposare. Il mio provvedimento, dunque, è necessario per voi.

Strinse ancora la mano ai giovani e se ne andò.

Mino guardò l'amico: distrattamente, Furio accarezzava la pala di un'elica. A un tratto lasciò cadere il braccio e mormorò:

— Mi par di morire.

— Ti comprendo, Furio, ma non disperare. Penserò, vedrò d'aiutarti a scappare qualche volta.

— Qualche volta! Ma ti pare che io possa passare una notte senza vedere Beba?

— E cosa vorresti fare? Rinunciare?

— A che cosa?

— Al volo.

— Sei pazzo? Piuttosto rinuncerei a Beba.

— Ah, non ti credo!

— Rinuncerei a Beba, certo di morirne poi, ma il mio apparecchio saprei portarlo alla mèta.

— Be'! Ora andiamocene. Qui non c'è nulla da fare. Dove vai?

— A casa. Dove vuoi che vada?

— Fortunato te, che puoi dire a « casa ». Io ho una camera all'albergo: sempre la stessa. E non so abituarmi a quella porta chiusa. Ricordi le belle chiacchierate dai nostri letti? Ricordi quella notte di temporale?

— Non parlarmi di nessuno. Io non ricordo piú nulla. Soltanto da quando amo Beba so di vivere. Il mio passato non è stato che un periodo di attesa, quella che attendevo è arrivata e nessun ricordo estraneo a Beba m'interessa.

— E sei terribilmente geloso!

— Se non avessi questo tormento, sarei troppo felice. E la felicità, si sa, dà solo il necessario, mai il superfluo.

L'automobile di Furio era pronta. Vi salí; prese la mano dell'amico:

— Vieni a cena con noi stasera?

Pensò un poco, Mino, prima di rispondere:

— No, grazie.

— Impegni di cuore?

Mino sorrise, scosse la testa e rispose:

— Magari!

E se ne andò con le mani affondate nelle tasche e la testa bassa.

Entrando in casa, Furio stupí vedendo Lina, la cameriera di Beba, attraversare l'atrio della villa tenendo nelle mani un panierino di orchidee.

— Dove andate con quei fiori?

— La duchessa mi ha ordinato di buttarli nel lago.

Preso da un improvviso sospetto, Furio domandò:

— Sono fiori del giardino?

— No, signor duca.

Senza attendere altro, Furio salí la scala, entrò nella camera di Beba.

— Chi ti ha mandato quei fiori? — domandò senza baciarla.

— Cori.

— Come lo sai?

— C'era un biglietto.

— Dov'è?

— L'ho stracciato.

— Non credo. I fiori con bel gesto da melodramma si fanno buttare nel lago ma i biglietti si conservano.

— No, Furio; era un biglietto da visita.

— E perché stracciarlo, allora?

— Oh, Furio, non tormentarmi: sono cosí stanca, cosí spossata! Ho qualche cosa che non è un male, qualche cosa che ti vorrei dire.

— Che abile schermitrice, sei! Temi il colpo e ti metti in posizione di difesa.

— Ma io non mi difendo, non ho fatto nessun male!

— Hai commesso un grave errore, stracciando il biglietto di Cori. Se era un biglietto da visita, perché distruggerlo?

— Ma non ho pensato a tutto questo.

— Lo penso io.

— Perché la tua gelosia è assurda.

— Assurda, vero? Dovrei lasciarti fare ciò che vuoi, ridere se un imbecille ti manda dei fiori, rallegrarmi se ricevi delle lettere d'amore. Ma sí, guarda; fra qualche mese dovrò rimanere al campo senza allontanarmi mai. Nei giorni di mia assenza, ricevi pure fiori, lettere d'amore, uomini! Sfogati! Io non saprò nulla. Le persone di servizio ti adorano, non ti tradiranno, e questa casa pare creata apposta per innamorati; ci si può venire dal cielo, dall'acqua, dalla terra.

Beba tremava, non piangeva. Pareva lontana, assorta, tutta presa da un altro pensiero, da un'altra preoccupazione.

— Sei in estasi? Estasi amorosa, il culmine della passione!

Beba scattò in piedi, aprí un cassetto, consegnò a Furio una lettera.

— Leggi, volevo evitare scandali e dolori perché so difendermi da sola; ma ora, ecco:

Cori scriveva:

« Assumo tutte le responsabilità di questo mio scritto che forse vostro marito leggerà, e fin d'ora mi metto a sua disposizione. Da quando siete entrata nella mia cabina, io non vivo che di voi. Io vi vedo ancora salire sul mio letto, staccar la fotografia di quella donna, buttarla nell'acqua. Tutta la mia nuova vita comincia da quel gesto. Vi amo, vi amo con tutta la mia giovinezza. Vi sento padrona del mio cuore e della mia vita. Non rinuncerò a voi... »

Furio non continuò, s'avvicinò a Beba, le restituí la lettera e con voce tranquilla le disse:

— Va bene, con Cori aggiusterò io ogni cosa. Tu spiegami questa storia della fotografia e del letto.

Nella voce tranquilla di Furio c'erano gli urli che l'uomo tratteneva.

Beba narrò ogni cosa, sinceramente, e concluse:

— Credevo di far del bene a un povero ragazzo disperato.

Allora l'urlo che Furio tratteneva nel petto e lo soffocava uscí spaventoso:

— Credevi di far del bene! Ma perché non dici che speravi d'essere rovesciata su quel letto? L'hai nel sangue e un tale sangue non mente mai. Ma io non sono tuo padre, io...

Si curvò su Beba e la colpí al viso. Poi corse al telefono, chiamò:

— Aeroporto, sí. Vorrei Sant'Elmo. Sei tu, Mino? Vieni, ti prego. È urgente. No, Beba sta bene, benissimo, io anche. Ma starò meglio quando avrò segnato il grugno a Cori. Ti spiegherò.

Beba aveva ripreso la posa di prima: assente, lontana, assorta. Sul viso bianco, terreo, aveva una striscia rossa. Furio le passò davanti senza guardarla. Ella s'alzò appoggiandosi a un mobile e gli disse:

— Furio, per me no, se non vuoi, ma per il nostro bambino...

E cadde nelle braccia di suo marito.

* * *

Il medico, il giovane dottorino elegante, dichiarò:

— È una crisi nervosa; passerà. Bisogna lasciarla in pace, il cuore è regolare.

Furio non parlava, pensava, quasi folle:

— L'ho uccisa; ho ucciso lei e il mio bambino. La colpa è di Cori. Lo vado a cercare, l'ammazzo come un cane rognoso e mi tiro una revolverata. Una revolverata. Ecco, una Cori e una a me. E tutto è finito, proprio tutto è finito, perché Beba è morta. E anche il bambino.

In quell'istante il medico chiamò:

— Signor duca....

Ma Furio non udí.

— Comandante — ripeté.

Furio alzò il capo, il dottorino gli fece cenno di avvicinarsi. S'avvicinò barcollando.

Beba aveva ripreso i sensi, e, ancora incapace di parlare, guardava per la camera con i grandi occhi d'oro.

Vide Furio, sollevò una mano. Il giovane non osò toccare quelle dita che cercavano le sue, ma di schianto cadde in ginocchio e scoppiò in singhiozzi.

Il dottore, esterrefatto, con la siringa in una mano e la fiala nell'altra, guardò il giovane duca:

— Crisi nervosa, anche lui! — pensò; e non sapeva piú cosa fare, quando, senza farsi annunciare, Mino entrò in camera, scosse Furio e ordinò:

— Vieni con me, subito.

La sua voce era la voce di un nemico. Si curvò su Beba, le baciò la mano e le disse:

— Spiegherò io, si fidi, duchessa.

Afferrò Furio per un braccio e lo trascinò nel salottino di Beba.

— Una scena volgare, per Cori, vero? So, la duchessa mi ha telefonato dicendomi della lettera di Cori e domandandomi cosa doveva fare per togliersi d'attorno quell'imbecille. Io, poiché Cori è a Milano, avevo deciso di andare da lui.

— Tu?

— Sí, io, per non mettere te nella necessità di batterti. A Cori avrei parlato da soldato a soldato. È un ragazzo innamorato, ma non è un farabutto; avrebbe capito. Invece Beba non ha saputo tacere con te. E tu cosa hai fatto? Cos'hai creduto?

Dal pallore di Furio capí che qualche cosa di ben grave doveva essere accaduto.

— L'hai offesa? L'hai fatta piangere?

Furio taceva sempre, ma il suo viso era quello di un uomo finito.

— Non l'avrai... no, non lo penso, non è possibile...

— Pensalo, Mino. Io non sono piú degno del suo amore, né della tua amicizia. Ho insozzato la mia divisa, ho sporcato il mio nome, sono sceso cosí in basso che non potrò piú rialzarmi.

Mino guardò l'amico e sentí di odiarlo.

— A te, che per difendere il tuo amore alzi le mani su una donna, io preferisco Cori che per questa donna si butta incontro al pericolo ciecamente, senza pensare alle conseguenze.

Furio non parlava; guardava il lago, i monti lontani, il sole, e certo non vedeva nulla.

— E sei un soldato! E sei un eroe! Bell'eroe quello che picchia una donna!

— Una mamma — corresse Furio, per un bisogno di farsi male. C'era, nella sua voce, la pazzia.

Mino tremò; gli prese la mano, chiese:

— Hai detto?

— Beba è mamma; me lo disse poco fa, prima di cadere.

— Mamma! Avrai un bimbo da lei. Un bimbo tuo!

Chiuse gli occhi e mormorò:

— Io, che per un bisogno di gioia penso alla mia

bimba di laggiú, figlia di una donna che non amo piú, posso immaginare quale sarà la tua felicità quando avrai fra le braccia un bimbo nato dalla sua carne. Un piccino al quale lei avrà fatto il cuore, i capelli, le piccole mani. Ma la meriti, tu, questa felicità?

— No.

— E che cosa conti di fare?

— Nulla. Se non avessi un impegno d'onore verso la Patria, mi sarei già punito.

— Bella soluzione! Comoda! Intelligente! Una revolverata nel cervello e tutto è fatto. E lei? Ma a lei non pensi, tu?

— Lei non vorrà neppure vedermi.

— Magari avesse la forza di farlo! Ma non l'ha, non l'avrà mai quella forza, una bimba che ti ama come lei ti ama.

Lina, la cameriera, entrò:

— La duchessa chiede del signor duca.

Furio sbiancò, arrossí e non si mosse.

— Va! — gridò Mino spingendolo. — Hai tutte le fortune, tu!

Il medico se ne era andato e Beba, sorridendo, tese le braccia a Furio.

— Non ho neppure il coraggio di chiederti perdono, Beba.

Ella lo costrinse ad appoggiare la guancia sulla salda morbidezza dei suoi seni, e, accarezzandolo lieve nei capelli biondi, gli disse:

— Beba ti perdona, perché il bimbo in questi suoi primi giorni di vita non veda i suoi genitori crucciati. Ma quella serenità che finora tu non hai saputo darmi, bisogna offrirmela per l'avvenire, perché non soffra lui che non ne ha colpa.

— Se te lo giuro su di lui, mi credi?

— Non giurare, Furio, e pensa che ti do un bambino.

— Un bimbo, Beba! Un bimbo da te! Ma quando te ne sei accorta?

— Da qualche giorno, ma non ero sicura. Oggi ne ho avuto la certezza.

— E oggi io...

— Silenzio! È passato tutto: lui non vuole sentire cose tristi. Felicità, sorrisi, gioia, per i piccoli! Io ho avuto una triste infanzia, Furio. Tu devi promettermi che lui non soffrirà come me e vedrà sempre mamma e papà felici.

— Lo giuro.

E giurò irrigidendosi, come se davanti a lui ci fosse stato il suo Re.

— Sant'Elmo?

— È di là.

— Chiamalo.

Mino venne ed era commosso come un collegiale.

— Grazie, Sant'Elmo.

— Non ho potuto evitare nulla, duchessa. Ma io spero che i nuovi avvenimenti mutino Furio.

Beba accarezzò le mani di suo marito mormorando:

— Povero amore!

— E con quel Cori, cosa facciamo?

Furio ebbe un guizzo.

— Sta calmo, tu, e non combinare altre sciocchezze. Andrò io, vuole?

— No, gli rimanderò la sua lettera. Basterà.

— Speriamolo — brontolò Mino. — Ma per oggi basta, ora bisogna chiedere un grande regalo a Furio.

— Un regalo? E perché?

— Per festeggiare il piccolo o la piccola.

Beba avvampò.

— Non so proprio cosa chiedere.

— Pensa a una cosa che ti piace, qualche cosa di molto bello.

— Non so... Ho tutto.

— Una donna senza desiderî — scherzò Mino. — Si lasci guardare, duchessa, perché finora non ne avevo mai viste!

— Pensa, pensa — implorava Furio.

— Te lo dico io. Conosci quella gioielleria dove comperai il braccialetto per Elma?

— Sí.

— Be'! qualche giorno fa, aveva in vetrina una collana di brillanti e zaffiri, una cosa veramente regale.

— Ti piacerebbe, Beba?

— Ma ho le perle, gli smeraldi...

— Gli zaffiri non ti piacciono?

— Sí, mi piacciono, specialmente quelli chiari, ma...

— Ecco, — interruppe Mino — quelli della collana sono del Ceylan, chiarissimi. Prendi la macchina e fila.

Furio, senza baciare Beba, corse nella sua camera, ne uscí subito e sparí.

— Piano, Furio — gli gridò dietro Beba.

— Non s'ammazza, no. È troppo felice.

— E se incontra Cori?

— Milano è grande. Vuole proprio che s'incontrino quei due?

— Forse abbiamo fatto male, Mino.

Il suo nome, pronunciato da Beba, gli giunse all'orecchio dolce come un bacio. Sorrise commosso e pregò:

— Sia buona, non si agiti. Pensi che non è piú sola. Cosa vuole, un maschio o una femmina?

— Furio vorrebbe un maschio.

— E sarà un maschio, vedrà. È cosí fortunato che pure in questo avverrà come lui vuole.

— E la piccola Elma, tenente?

— Mi chiami Mino — pregò il giovane.

— Come vuole. La bimba, laggiú, che cosa fa?

— Ho una fotografia, l'ultima. Vuol vederla?

— Certo.

Mino s'appressò al letto e Beba s'alzò su un gomito per veder meglio. Un odore caldo di donna pulita e profumata lo avvolse.

Sulla lieve camicia da giorno, per non affaticare la sua padrona, Lina aveva infilato una giacca rossa di pigiama.

Ma la blusa s'apriva sul petto e la rosea floridezza dei seni prorompeva dalla camiciola di pizzo nero. I capelli invadevano il guanciale, le coltri, scendevano dalla sponda del letto.

Mino non respirava piú e i suoi occhi non vedevano che quel rosato candore.

— Bella bambina! — disse Beba. — Poi, osservando Mino, domandò: — Che c'è, Mino?

— Nulla, cioè ho un gran desiderio di dirle una cosa, ma ho paura.

— Oh! Deve essere una cosa ben grave!

Rimettendo nel portafogli il ritratto di Elma, Mino continuò:

— Grave...

— Non si fida di me?

— Sí, duchessa, mi ascolti. Io sono giovane. Appunto per questo qualche volta non mi so controllare. Bisogna che lei mi aiuti.

— Ma come potrò fare se lei non vive nella mia vita?

— Non le chiedo di guidarmi quando piloto un apparecchio o mi provo un abito dal sarto. Lei mi deve sorvegliare, quando le sono vicino, come ora.

— Non capisco.

— Ascolti: io mi innamorerò di lei (se pure non sono già disperatamente innamorato). No, non mi guardi cosí. M'innamorerò perché è inevitabile, e quando non saprò piú comandare a me stesso lei se ne accorgerà. Allora toccherà a lei guarirmi, ricordarmi Elma, Clara, e la viltà che ho commesso. Allora lei dovrà dirmi di andare via, sparire. E io ubbidirò.

— Vada, sparisca — rise Beba.

— No, per ora posso guardare Furio negli occhi senza tremare.

— E dovrà essere sempre cosí, Mino, perché se mi manca lei io perdo l'unico amico. Promette?

— Prometto.

Beba offrí la mano.

Nel gesto la giacca scivolò dalla spalla e un seno apparve. Con mossa rapida la donna si ricoprí, arrossendo. Vide sul volto contratto di Mino una sofferenza, ne ebbe pietà.

— Mino, Mino, che gran fanciullo è lei!

La bella mano abbandonata sulla coperta pareva in attesa di baci; il giovane la sfiorò con le labbra, poi con voce rauca, beffando sé stesso, dichiarò:

— Ho bisogno d'aria. Vado incontro a Furio.

S'inchinò e uscí quasi correndo. Passo passo s'avviò, camminò per la strada vicina al lago, guardò un battello che se ne andava fiero come un'oca, invidiò un uomo scamiciato che remava cantando, pensò a Clara con stupore, a Elma con tenera malinconia, a Cori con odio, a Beba con amore, a Furio con invidia.

— Caro Sant'Elmo, o vincersi o chiedere il trasloco — si disse. Comprendeva che la sola cosa buona era partire. Andar lontano, lontano anche per un apparecchio, perché l'amore è come un profumo violento; appena ce ne allontaniamo non lo sentiamo piú, e, se ci arriva, ci arriva diluito dalla lontananza e non può piú dare palpitazioni e capogiri.

Veniva, sollevando un polverone che faceva subito pensare all'esistenza dei microbi, una grossa automobile. Era carica di fanciulle buttate fra le gambe di alcuni giovanotti. Pareva che qualcuno le avesse caricate cosí per levarsele d'attorno.

Volti dipinti, zazzere brevi, braccia nude.

— Ohee! Ohee! — urlò tutta quella giovinezza: e una ragazza lanciò un fiore sciupato. Mino vi mise un piede sopra e continuò a camminare.

— Ma quanto ci vuole a tornare da Milano? — si chiedeva.

All'improvviso, con sgomento, pensò che Furio e Cori si fossero incontrati.

— Altro che collane, allora!

Ma l'acqua gli portò un rumore di motore, e l'occhio abituato a scrutare nello spazio un punto sempre lontano vide correre un bolide rosso che si lasciava dietro una nuvola bianca.

— Se non s'ammazza oggi, non s'ammazza piú.

L'auto di Furio venne giú dalla discesa come se nessuno a bordo la trattenesse, s'ingoiò il tratto di strada piana, parve pronta a balzar nell'acqua alla curva, sparí, e rombando Mino la vide riapparire a pochi metri da lui.

Furio arrestò la macchina.

— Che c'è? Perché sei qui?

— Ti sono venuto incontro — rispose Mino prendendo posto accanto all'amico . — Avevo bisogno di muovere le gambe.

— Beba?

— L'ho lasciata appena tu sei uscito, stava bene. Hai la collana?

— Sí, è questa?

I chiari zaffiri bevvero un po' di rosso del tramonto, e i brillanti parvero specchiarsi in una fiamma.

— Bella, vero?

— Purché piaccia a Beba!

Ripartí di corsa e poco dopo fermava la macchina davanti alla villa.

— La duchessa? — chiese al cameriere.

— È in salotto.

— Alzata? — domandò stupíto e lieto Furio.

Entrò nel salotto. Beba gli si buttò nelle braccia e lo baciò.

— Beba mia, perdonami.

— Che cosa?

— Grazie. Ho la collana. La vuoi?

— Sí, amore.

Mettendole al collo lo stupendo monile che donava una chiara luce alla bellezza limpida di Beba, mormorò:

— Questo è il primo dono che Furietto porta alla sua mammina.

Beba rise:

— Furietto. E se fosse una Furia invece?

— Sarò ugualmente felice; ma per ora lasciamelo credere un maschiaccio forte e prepotente come me, bello e buono come te.

E c'era nella voce di Furio tanta trepida tenerezza che Mino pensò:

— L'ama tanto da esserne pazzo e vile.

Quella stessa notte, accarezzando con una mano leggera la sua donna, Furio le diceva:

— Qualche mese ancora... e poi... clausura. Come farò, Beba?

— Amor mio, perché non ti chiedi cosa farò io per non essere disperata?

— Come vivrò senza i tuoi baci, senza poter accarezzare questo tuo corpo divino, senza i tuoi capelli? Sono miei, Beba?

— Tutti.

Furio affondò il viso, le mani, la gola, nella morbida ondata di biondo e implorò:

— Se muoio, Beba, fammene un guanciale.

— Ma perché vuoi farmi piangere?

— Sono triste, Beba! Penso a me, a te... Vuoi che mia madre venga qui con te, mentre io sarò lontano? Vuoi Zianna?

— Se tu vuoi... Ma io posso stare anche sola. E poi...

— E poi?

— Se tua madre viene qui, o viene Zianna, vorranno farmi uscire. E tu saresti in pena. Lasciami sola. Ti aspetterò suonando e pensando a te e a... Furietto.

— Tu non preghi mai?

— Sí, Furio. Ma non recito mai le preghiere di tutti.

— Come preghi, tu?

Beba s'inginocchiò sul letto e la grande chioma la chiuse tutta in una nicchia d'oro. Congiunse le mani e pregò:

— « Dio dei Cieli che mi hai concessa questa felicità, conservamela Tu, proteggila, difendila dai nemici. Dio dei Cieli che mi hai creata bella, sana, onesta, conservami cosí per la gioia di uno solo. Dio dei Cieli che mi hai voluto donna, dammi un figlio da amare, educare e rendere un buon cristiano. Dio dei Cieli che mi hai fatto sposa, conservami l'amore di Furio, la sua fiducia, la sua bontà e... — la voce tremò e Beba, sul petto di Furio finí, quasi gemendo, — e la sua vita. »

* * *

Il mattino, vestendosi, Furio diceva a Beba:

— Dopo il gran volo, licenza. Sei contenta? T'insegnerò a cavalcare, faremo delle belle passeggiate. T'insegnerò a guidare l'automobile e a pilotare l'aeroplano. Andremo a Parigi, a Vienna, ti farò conoscere angoli ignoti di questa bellissima nostra Italia.

— E il bambino? Lo sai che nascerà solo in nove mesi?

— Allora rimarremo qui; tranquilli, bravi bravi, felici. Cercheremo una balia che dovrà essere la piú bella balia dell'universo e il nostro viaggio attorno alla terra lo faremo quando Furietto sarà un omino. Un viaggio di nozze in ritardo e con un figlio; ti va, Beba?

— Ho paura che sarai sempre tu, il piú gran bambino della casa.

— Un bambinone desolatissimo di doverti lasciare, fra pochi minuti.

— Tornerai presto?

— Non so: spero.

Beba, seduta sul letto, guardava Furio.

Era pur bello, cosí alto, forte, giovane! Egli si annodava la cravatta nera e Beba gli guardava le belle mani riflesse nello specchio.

Un uomo che s'annoda la cravatta può essere buffo e può essere elegante. C'è quello (l'impiegato, il maestro, il piccolo borghese) che l'annoda adagio, attento a non dar strappi, preoccupato di non sciuparne la seta o il cotone. C'è lo studente con pochi quattrini e pochi abiti, che tenta, e riprova, fa della cravatta il suo lusso, del nodo la sua eleganza. C'è l'elegante meticoloso cui il nodo sboccia lentamente sotto le dita e rimane, fra collo e colletto, come appiccicato.

E c'è l'elegante autentico (quello che porta, sotto l'abito da sera, brevi mutandine di seta nera) che qualche volta, pur avendo creato un nodo perfetto, con la cravatta, s'arrabbia.

Come Furio, che a un tratto brontolò:

— Beata la Marina! Almeno d'estate ha la divisa chiusa.

Beba rise, balzò dal letto e s'avvicinò a Furio:

— Cos'ha questo benedetto nodo?

— Viene male, sembra una pera.

Strappò la cravatta, ne prese un'altra, ricominciò il lavoro di prima ritto davanti allo specchio, sorridendo di tanto in tanto a Beba che lo guardava.

— Perché mi guardi?

— Sei tanto bello!

— Tu sei un sole! — rispose Furio volgendosi di colpo e prendendola fra le braccia.

— La cravatta! La cravatta! — ammonì Beba.

— Fatto! E me ne devo andare!

— Piano, amore. Le strade hanno i paracarri!

— Ma tu puoi credere che esista il pericolo per me? Ci sei tu che mi proteggi, Beba mia. Faccio la strada di volata pensando a te...

Quasi afferrato da un improvviso tormento, mutando voce e viso, soggiunse:

— Ma come farò a stare senza vederti?

— Io ho pensato, Furio, a una cosa.

— Quale, amore?

— Non c'è un alberghetto, una casina, qualche posto per nascondermi proprio vicino vicino all'aeroporto?

— Ma non potrò venire a baciarti lo stesso, Beba.

— Lo so, ma mi saprai vicina a te, e, chi sa, forse passando in volo potrai vedermi alla finestra. Cerca, Furio.

— Beba cara, pensa con quanta gioia lo farei! Ma non c'è una casa abbastanza bella per te.

— Non c'è un albergo? Dove abita Sant'Elmo?

— All'albergo, tu, senza di me? Impazzisci, Beba?

— E allora?

— Tu mi metti nella mente questa possibilità, che mi rende felice. Cercherò, Beba, e stasera ti dirò qualche cosa. Che ora è, amore?

— Le sette.

— Povera Beba! A che ora ti sveglio! Chi sa se il

piccolo avrà sonno ancora? Alle 7,30 devo essere in volo. Filo, Beba.

— Furio, attento! — raccomandò Beba baciandolo.

E s'alzò per vederlo balzare nella macchina.

Il giovane, dalla strada, le mandò un bacio e pregò:

— Non stare alla finestra: c'è troppo sole.

Beba per non farlo soffrire rientrò subito, ma rimase col cuore attento ad ascoltare il rombo dell'automobile che s'allontanava.

Ritornò nella camera di Furio, posò la testa sul guanciale dove lui aveva dormito e sognò, a occhi aperti, il suo bambino.

Biondo, non poteva essere che biondo, forte, bello, coraggioso come Furio.

La ancora vaga inquietudine che da qualche tempo s'era impadronita di lei cresceva ora di minuto in minuto, né il pensiero del bambino riusciva a scacciarla.

S'alzò di scatto, chiamò Lina, le affidò i lunghi capelli.

Sempre cortese, ma parca di parole con le persone di servizio, quel mattino sentiva il bisogno di parlare, per non pensare.

— Lo sapete, Lina, che attendo un bimbo?

Gli occhi della ragazza sfavillarono mentre rispondeva:

— Quanto sarà bello, duchessa!

— O bella! — corresse Beba.

— Meglio sia un maschio — sentenziò Lina.

— E perché?

— Perché i maschi comandano sempre di piú. E le donne, anche se regine, devono fare ciò che vuole il marito.

Beba capí che la ragazza sapeva o intuiva la gelosia di Furio e forse compiangeva quella bella padrona che non poteva neppure uscire di casa quando ne aveva voglia.

Le spiacque e, per cambiare argomento, ordinò:

— Fatemi due trecce; ad appuntarle penso io.

Come sempre, dopo aver composto la gran chioma in due lunghe e grosse trecce, Lina soppesò tutto quell'oro nelle mani:

— Diventano ogni giorno piú belli! — mormorò. — Se la signora duchessa abitasse a Milano diventerebbe celebre in un giorno, bella come è e con questi capelli.

— Ma io non ho bisogno d'essere celebre. Mi basta essere la sposa di un duca di Villafranca.

La voce era morbida, ma la risposta severa. Lina arrossí e domandò:

— Che abito porto, duchessa?

Allora Beba, ridendo, disse:

— Un abito chiaro. Ma bisognerà scrivere in tempo alla sarta perché mi mandi abiti piú abbondanti.

Solo allora pensò al suo corpo sformato e domandò:

— Diventano brutte le donne quando i fianchi si allargano e il corpo prende una forma tondeggiante?

— Lei è cosí alta, duchessa, che neppure se ne accorgerà.

— Credi?

— Ne sono certa. La contessa Nora Doridan, dalla quale ero a servizio, il giorno in cui ebbe un bambino lasciò tutti stupiti, e qualcuno anche domandò a noi: — Ma dove l'aveva, 'sto figlio?

Beba fu cosí felice che non diede neppure peso alla parlata un po' libera di Lina.

La sua grande bellezza non le apparteneva piú. Era di Furio, e per questo doveva averne maggior cura.

Quando fu pronta decise di scrivere a Zianna e alla mamma di Furio per comunicare la bella nuova. E cominciò una lettera cosí:

« Zianna, sono tanto felice... » ma la penna cadde sul foglio, Beba curvò la testa sul braccio piegato e pianse.

La trovò cosí Lina, e Beba tentò scusarsi, vergognandosi di quella debolezza.

— Ma io non so, perché mi prende questa tristezza.

— Quasi a tutte accade, duchessa. Pianga, le farà bene.

E, con quella stupenda ignoranza che faceva di lei una donna veramente felice, aggiunse:

— Se la mamma piange il bambino riderà presto.

Beba sorrise, sollevata, pensando:

— Allora non è presentimento, è solo malinconia — e riprese la lettera interrotta alla parola « felice ».

* * *

Furio arrivò che imbruniva e la sua faccia era tutta gaia. Arrivò trafelato nella camera di Beba, le gridò, ridendo:

— Ho trovato, ho trovato! Una piccola casa sul lago. Dal terrazzo vedrai gli apparecchi flottare, decollare, volare. Per compiere il nostro allenamento, passiamo sempre davanti a quella casa. Ma non è molto bella sai? Piccola, con un piccolo giardino.

— E tu pensi che Beba avrà il tempo di occuparsi della casa?

— Domani stesso manderò un tappezziere da Milano perché metta quello che manca e la renda comoda piú che può.

— E quando potrò abitarla?

— Fra tre o quattro giorni. Lina e Marco verranno con te. Non c'è posto per altri.

— Non cascherà il mondo. Saremo lontani e pure vicini, Furio.

— Sí, Beba; il tormento sarà sempre grande, ma almeno potrò vederti. E chi sa! Qualche volta potrò scappare! A nuoto, magari. Dalla linea di volo alla casina ci saranno duecento metri. E io sfrutterò la mia abilità di nuotatore per venirti a sorprendere. Contenta?

Beba gli appoggiò una guancia alla guancia e mormorò:

— Grazie per me e per Furietto.

— A chi hai scritto, Beba? — domandò Furio; e correggendosi soggiunse:

— Perdona, sono indiscreto?

— Ah! — disse Beba — cosí non sei piú il mio Furio!

— Vuoi che ti faccia male ancora? Piuttosto soffoco di gelosia.

— Allora posso dirti la verità? Non mi sgriderai?

— Mi fido di te, Beba.

— Anche se avessi scritto a un uomo? — celiò Beba. Ma vedendo gli occhi di Furio oscurarsi s'affrettò a consegnargli le due lettere.

Il giovane sorrise rasserenato. Lesse le lettere indirizzate a Zianna e ad Aura, poi nella lettera a sua madre, sotto il nome di Beba, scrisse:

« Mamma, io ti ringrazio d'avermi dato la vita perché sono felice. Te l'immagini, mamma, il tuo Furio con un Furietto fra le braccia? E immagini papà diventato nonno? Scommetto che quando il bambino sarà ancora in fasce mio padre lo metterà in sella. Ma io gli dirò: — « Lascia i cavalli e vola! Se io non fossi passato in volo sopra un bel lago sereno non avrei scoperto una villa vestita di glicine e non avrei mai conosciuto tua madre. Vola! » Dopo la grande prova, mamma, verremo con te per qualche tempo. Perché voglio che Furietto si formi all'ombra del castello di Villafranca. Contenta? Di' a papà che non è necessario preparare fin d'ora un cavallino per Furietto. C'è tempo. Sono cosí felice che se non temessi il ridicolo andrei nel prato (o magari sul letto) a far quattro capriole. Ma ne ho già eseguite tante stamane, in cielo, in onore di Furietto, da esserne quasi ubriaco. Ti bacio le mani, mamma. »

A questa lettera Aura rispondeva con un lungo telegramma. Desiderava Renata nel castello, voleva che il piccino nascesse dove erano nati i duchi di Villafranca.

Beba, commossa da tanto entusiasmo affettuoso, sorrise e scherzò con Furio:

— La mamma e Zianna, anche lei telegraficamente esultante, non sanno che Furietto nascerà solo fra qualche mese? E non sanno che nell'attesa io voglio restare vicino al mio Furio grande?

— Forse avresti piú cure a Villafranca, forse l'affetto di due donne come mia madre e tua zia potrà essere per te di sollievo, se soffrirai. Io, Beba, non saprò far altro che amarti, baciarti, adorarti.

Beba rise allegra e lo beffò:

— Ma tu credi che il nostro bimbo sia il primo bimbo che nasce sulla terra? Starò bene e sarò felice solo se potrò esserti vicina.

— Sai tu che dalla linea di volo io vedo benissimo la casina dove andrai?

— Dalla linea di volo? Cosa è?

— È il piazzale antistante ai capannoni, dove la mattina si allineano gli apparecchi, dove i meccanici accudiscono ai lavori di manutenzione e prova, dove i piloti, consumando sigarette, passeggiano in su e in giú nell'attesa di potersene andare in aria.

— E io ti vedrò?

— Certamente. Ma, se guarderai con un binocolo, guarda me solo, non ti smarrire seguendo gli altri! Vedessi quanti bei ragazzi! Ci sono degli avieri che sembrano bimbi e hanno ognuno tanto fegato da poterne regalare a dieci uomini. Diventeranno piloti di valore; l'Italia ne ha bisogno, perché di tanto in tanto qualcuno dei buoni se ne va.

Il suo pensiero era rivolto a Centurione che ormai

riposava lontano nella sua terra presso il mare: ma Beba s'era fatta bianca pensando a Furio.

— Sei pallida, Beba, stai male?

— No, forse è il caldo...

— Quella piccola casa presso l'aeroporto è tutta nell'ombra di una insenatura; sembrerai la fata bionda d'un minuscolo regno.

Sorrise alle proprie parole e s'ammoní:

— Furio, Furio, se diventi anche sentimentale, Beba riderà di te.

Ma Beba non rideva e neppure sorrideva.

Guardava una barca di pescatori che, ferma sotto il giardino della villa, buttava le reti. Quando i pescatori ebbero finito fermarono la tavoletta di legno che sosteneva, fissata a un piccolo trapezio, la campana di avviso.

Dlan, dlan, dlan dlan — cominciò subito quella pettegola appena la tavola toccò l'acqua.

— Ma non potevano metterla un po' piú in là? — brontolò Furio. — Ti darà noia stanotte.

— A me? — rise Beba. — Mi parrà d'essere ancora sul mio lago. La notte, lassú, è fatta di dlan, dlan.

E ricordando soggiunse con voce mutata:

— Una notte c'era mio padre con me e Zianna e soffriva, come sempre. A un tratto s'alzò, scese nella darsena, prese la barca e si avviò diritto, nel raggio della luna, alle reti. Zianna e io, dal giardino, stavamo a guardare. Si fermò presso una campana e poco dopo alcuni colpi di revolver schiaffeggiarono quella notte tutta pace. Dei tre o quattro dlan dlan, uno solo continuò a suonare, ma a fesso. Quando mio padre ritornò domandai: « Perché hai sparato, papà?» « Quelle campane mi esasperavano ». Zianna lo rimproverò, lo chiamò pazzo. Forse aveva ragione lei, ma certo neppure lei sapeva che le pallottole rimaste nel caricatore dovevano uccidere il mio papà e... l'altra.

— Non pensare, Beba! — pregò Furio accarezzandole i capelli fortemente ondulati.

Beba fermò la mano che l'accarezzava e la baciò.

— Amore mio, non ne soffro piú. È tutto cosí lontano!

Dal giorno in cui Beba gli aveva detto d'essere mamma, l'amore di Furio s'era fatto quasi religioso. Pensando al male dato a Beba per un'ingiusta gelosia, soffriva pentendosene, ma non poteva far a meno di pensare:

— Se un uomo me la sfiora, io lo ammazzo.

Non piú Beba doveva essere punita, ma l'altro, quel qualunque altro che avesse tentato di rubargli la sua donna.

Cambiando direzione, la gelosia rimaneva sempre nel suo cuore.

Una gran luna allegra e ridanciana era salita all'improvviso da dietro il monte e s'era messa in bilico sul cocuzzolo piú alto.

Furio disse:

— Elma, la piccola di Mino chiamava zia la luna: « Portami zia Luna », raccomandava sempre.

— Era bella Clara? — domandò Beba.

— Era una squisita signora e una povera bambina. Aveva ventidue anni quando già Elma ne aveva quattro. Ma bella, no, non lo era. Una figuretta sottile, un piccolo volto bianco, grand'occhi: sí, gli occhi erano stupendi. Ma il resto insignificante. Se tu le fossi passata accanto neppure l'avresti notata. Invece tu offuschi ogni donna!

— Ti spiace?

— No, per il mio orgoglio. Ma per il mio grande amore, sí! Sei giovane, sei bella, troppo bella! — gridò Furio; e in un impeto di passione l'abbracciò, la sollevò e tenendola supina sulle braccia tese l'alzò nel chiaroluna: — T'offro alle stelle, stella mia, solo di esse mi fido!

Beba gli avvolse il collo in un morbido abbraccio, posò la testa sulla spalla di suo marito e pregò:

— Portami a dormire, Furio.

Egli attraversò il giardino tenendo Beba cosí, fra le sue braccia e sul petto, salí la breve scala, l'adagiò sul letto tutto invaso dalla luna.

Non era piú in bilico sul cocuzzolo piú alto, la gran luna ridanciana, ma s'era aggrappata a una nuvola chiara che camminava verso la villa.

Vide certo cose stupendamente audaci la vagabonda, perché nascose il gran viso dietro la nuvola chiara; per pudore, forse, o forse per meglio vedere senza essere vista.

PARTE TERZA

In un mattino di sole Beba entrò nella nuova piccola villa accanto all'aeroporto.

Era una casa piccina, graziosa, affacciata sul lago, ammantata d'alberi.

— Ecco, Beba — spiegò Furio — laggiú c'è lo scivolo.

— Ti distinguerò benissimo.

— E fra qualche giorno distinguerai anche il mio nuovo idrocorsa: porta il N. 8, quello di Mino il N. 3.

Ti parranno fiamme rosse, questi apparecchi, la loro velocità forse ti farà paura e io mi chiedo ora se non ho sbagliato facendoti venire qui.

— Non avrò paura: so che nulla di male potrà accadere.

— Lo credo, Beba. Il tuo amore mi ha portato fortuna, mi protegge e mi guida: lo sento. E questa fede che io ho in te non bisogna distruggerla perché me ne verrebbe una sciagura. Mi capisci, vero? Ora rimani qui, cheta, serena. Io devo andare.

Lasciò la sua donna a malincuore e se ne andò verso i suoi apparecchi, senza gioia.

Poco dopo Beba vide formarsi sull'acqua un grande triangolo rosso.

In testa il N. 8, Furio, a sinistra il N. 3, Mino. Un fragore improvviso e sotto i galleggianti dell'8 l'acqua cominciò a spumeggiare. Subito il fragore aumentò, divenne pauroso e l'8 seguíto da tutta la squadriglia cominciò a flottare.

I mostri rossi, veloci e urlanti, flottarono davanti alla casa silenziosa avvolgendola per un attimo nell'immenso frastuono.

D'improvviso il primo apparecchio si staccò dall'acqua; con lo stesso balzo leggiero anche gli altri apparecchi presero quota, frecciarono alti, sparirono per riapparire, sempre in perfetto ordine di squadriglia.

Poi, quasi ognuno avesse ricevuto un comando, il bel triangolo si distrusse e ogni idrocorsa cercò nel cielo il pezzo di sereno preferito.

E Beba vide le macchine rosse chiazzare qua e là l'intenso azzurro, tracciare cerchi, spirali. Vide l'8 caprioleggiare festoso, raggiungere il 3, girargli attorno, provocatore, e fuggire inseguito dal provocato.

Vide l'8 impennarsi, aggrapparsi al cielo ruggendo spaventosamente e con lo stesso ruggito venire subito raggiunto dall'altro.

L'8 insolente spense il motore e si tuffò a precipizio, discese, discese e l'altro giú all'inseguimento, ma l'8 rivelò l'astuzia, e, riattaccando il motore all'improvviso, riprese quota e sparí.

Il 3 rinunciò all'inseguimento, vagabondò un poco volando piatto, poi picchiò leggermente, ammarò.

Flottò, passò e ripassò davanti alla casina, s'arrestò sotto la finestra dove era affacciata Beba, e una voce gridò:

— Buon giorno, sole!

L'apparecchio s'allontanò con un urlo di trionfo, balzò ancora nel cielo. Era già sparito nella scia dell'8 e Beba guardava su, confusa, stordita dal rumore, sorpresa dal saluto.

« — Buon giorno, sole! »

Mino, Mino l'aveva salutata così, come l'aveva salutata Furio la prima volta.

Nell'aria s'era fatto un gran silenzio e nel lago ogni cosa pareva profondamente addormentata perché le rombanti frecce rosse erano andate lontano.

Beba lasciò la finestra e s'adagiò sul letto da dove poteva vedere il cielo.

Ma quasi subito, presa da un'inquietudine dolorosa, s'alzò, ritornò alla finestra. Un rombo lontano lontano si fece udire sordo, ovattato e soffocato, quasi uscisse da un ammasso di nuvole chiare che si levava dall'orizzonte verso il cielo.

Preceduta da un'ondata di fragore la rossa squadriglia veloce riapparve e sembrò un immenso accento circonflesso galleggiante sull'ammasso delle nubi. Ingigantí, piombò sul lago, sfiorò l'acqua, s'arrampicò per il cielo, ridiventò un lontano accento circonflesso, ammutolí per un istante reso silenzioso dalla lontananza, poi il rombo s'avvicinò ancora e l'aria riprese a fremere, a vibrare, a cantare.

Ad uno ad uno, leggieri, ali contro aria, elica nel vento, cominciarono ad ammarare, flottarono verso gli scivoli.

Il volo era finito, le eliche riposavano in croce, i piloti serenamente scendevano a terra, già pronti per i voli dell'indomani.

* * *

Ogni sera Mino passava un'ora nella casa dei duchi di Villafranca e vivendo cosí vicino a Beba poteva osservare la trasformazione che pian piano avveniva in lei. La maternità, che ancora non si rivelava nelle belle forme, aveva messo negli occhi della donna una luce preoccupante e Beba pareva una creatura nuova, diversa, mai intuita.

La bellezza radiosa, e pur dolce, aveva acquistato fremiti improvvisi, le movenze erano piú languide e tutto il corpo pareva fasciarsi di sensualità.

Mino ne osservava i gesti, i movimenti, ascoltava, pensoso, la voce che si faceva a tratti piú calda, e ripensava alle parole che si facevano piú audaci, come le scollature degli abiti e le pose della donna.

Furio pareva travolto da questo mutamento, e Mino se lo vedeva apparire all'aeroporto col viso stanco, gli occhi pesti, il pensiero lontano.

— Se continui cosí, finirai male — non poté tacergli un giorno.

Furio alzò le spalle, ma all'improvviso la confessione gli sfuggí:

— Beba non mi ha mai amato come ora. Sono felice e disperato.

Mino pensò a Clara e ricordò che ella, quando attendeva Elma, gli aveva confessato, per giustificare il completo assopimento dei propri sensi:

— Alcune donne, quando concepiscono, diventano di gelo e l'amore si muta per esse in sofferenza; altre non possono vivere senza il piacere.

Beba era di queste. Mino ne era ormai certo e stava in guardia come se egli stesso dovesse difendersi. Amava Beba, soffriva di questo amore, ma sapeva dominarlo.

Nella sua vita Beba era entrata ormai da padrona e Mino si diceva, per aiutarsi a vincere:

— Dopo il gran volo si fa fagotto e via, lontano, lontano anche per un apparecchio, da questo tormento biondo.

Pure tremava di desiderio quando Beba, bella, odorosa femmina dalla punta dei piedi ai capelli, gli passava accanto sfiorandolo. Clara non esisteva piú, l'affetto per la sua bimba di laggiú non poteva toglierlo dai sogni ai quali si abbandonava quando l'amore per Beba gli prendeva i sensi e il cuore minacciando di travolgere tutti gli onesti propositi. Un giorno, pioveva a scroscio e gli apparecchi dormivano, Mino andò alla piccola villa e trovò Furio sdraiato su un divano e Beba seduta a terra sul tappeto accanto al marito.

— Che si fa? — domandò Furio all'amico.

— Si aspetta il sole Almeno io l'aspetto perché tu l'hai vicino.

Beba rise rovesciando la testa e si allungò sul tappeto.

Furio, dolcemente, consigliò:

— Alzati, amore, può farti male, a stare cosí.

Mino offrí le mani a Beba per aiutarla a rialzarsi e il contatto di quell'epidermide di raso lo fece rabbrividire. Guardò Furio che teneva gli occhi chiusi e domandò:

— Hai sonno?

— No, mal di capo.

Sant'Elmo non parlò ma scosse la testa scontento e guardò corrucciato Beba che s'era seduta sul bordo del divano e accarezzava i chiari capelli di Furio.

Dov'era andata la severa, riguardosa Beba che arrossiva se il marito le sfiorava il viso davanti a un estraneo?

Non c'era proprio piú la Beba bambina, quella che era stata la piú innamorata e la piú casta delle spose, quella che si rifiutava e che soffriva, quella che sapeva dominare il desiderio dello sposo e chetarne lo spasimo con materne carezze?

Mino guardò il cielo, annunciò:

— Non piove quasi piú. Perché non esci con me? Un po' di aria ti farà bene.

— Sono stanco — brontolò Furio raggomitolandosi vicino a Beba.

— Scuotiti, per Bacco! Se rimani a poltrire cosí, la stanchezza aumenterà.

Pigramente, Furio si rizzò su un gomito:

— Concilia il sonno, questo tempo — disse stirandosi.

— Incolpa il tempo — sbuffò Mino passeggiando nervosamente.

— Che cosa brontoli?

— Nulla. Io me ne vado; se vuoi venire...

— Vengo, aspetta: infilo l'impermeabile.

Beba raccomandò:

— Torna presto.

Appena fuori, Mino investí l'amico:

— Vorrei sapere se hai proprio deciso di continuare a questo modo. Sei pazzo, ti vuoi uccidere?

— L'amore mi fa bene — rispose Furio con una spallata.

— Ah, perdio! bisogna essere bambini incoscienti, per rispondere cosí. Sei pallido, sciupato, stanco, nervoso e dichiari di star bene. Ma quando si è fantocci nelle mani di una bella donna non si annuncia al mondo una prova ardita come quella che tu hai ideata! Se manchi tu noi saremo a terra, e se tu continui cosí la nostra bella squadriglia veloce non partirà mai piú. Anch'io ho amato, anch'io... — fu per dire: — anch'io amo — ma si trattenne e continuò:

— ...anch'io ho amato, ma ho sempre saputo comandarmi.

Furio infilò un braccio nel braccio di Mino e confessò:

— Il desiderio di Beba mi travolge. Cosa devo fare? Tu come agiresti?

Alla domanda Mino trovò risposta con un brontolio:

— Io, io non c'entro.

— Ma se tu fossi nelle mie condizioni?

Sant'Elmo pensò un momento; poi, a capo basso, malinconicamente, sospirò e tacque.

— Lo vedi? È facile chiacchierare, ma quando si tratta di dare un consiglio anche le parole mancano.

— Insomma — proruppe Mino — cosí non va!

— L'hai già detto: attendo che tu mi dica che cosa devo fare perché vada come vuoi.

— Sii schietto con tua moglie, dille che tu devi volare, che hai bisogno di tutta la tua forza, di tutta la tua energia, dille che quando si devono affrontare acrobazie a 400 all'ora, le acrobazie dell'alcova sono pericolose. È buona, Beba, è intelligente, comprenderà!

Furio rispose pensoso:

— Non le dirò mai questo! Mi parrebbe d'essere giudicato da lei che ha tanto bisogno del mio amore.

— Benissimo! Per non offuscare la tua aureola di bel maschio, sciupa la tua magnifica fama di pilota! Se il mondo riderà, se noi ti avremo inutilmente seguito, cosa importa?

Andavano nella pioggia sottile con passo affrettato. Furio con le mani in tasca, il cappuccio sugli occhi, il capo chino. Mino gesticolando, il cappuccio buttato all'indietro e il viso offerto all'acqua. Giunti davanti al cancello del campo s'arrestarono.

— Che si fa? — domandò Mino.

— Cosa vuoi fare? Io ritorno a casa.

Sant'Elmo gli si piantò davanti e con voce tremante di rabbia e di dolore esclamò:

— Torni a casa! Tu, in altri tempi avresti detto: — Io volo anche se piove!

Furio trasalí, varcò il cancello, andò diritto alla linea di volo. Nei capannoni gli apparecchi rossi attendevano: lo scafo, alto su i lunghi e snelli galleggianti, le prue a siluro, l'eliche in croce, facevano assomigliare gli idrocorsa a strani, mostruosi animali con pericolosi baffi di durallumінio.

Furio s'avvicinò al proprio apparecchio, alzò un braccio, ne palpò il ventre quasi fosse quello d'un cavallo indocile da acquietare o un puro sangue vittorioso da ringraziare.

— Si vola? — domandò un giovanissimo aviatore.

Furio guardò il cielo e osservò:

— Aspettiamo che spiova. L'acqua a questa velocità buca come spilli.

— Proviamo? — tentò Mino. — Cosí, se durante il grande viaggio ci sorprenderà la pioggia, sapremo già come difendercene.

Furio sorrise, s'avvicinò a Mino e sussurrò:

— Vuoi una prova da me? Sono pronto.

E volgendosi agli altri piloti della squadriglia veloce, gridò:

— Andiamo!

Uscirono, traballando sui carrelli, i nove mostruosi fenicotteri rossi e poco dopo nove eliche schiaffeggiavano duemila volte al minuto la pioggia sottile.

* * *

Quando scesero trovarono un ordine inatteso.

L'indomani la squadriglia dei « Folgore » doveva lasciare il circuito chiuso, passare monti, terre, laghi, per raggiungere un'isola lontana.

La notizia portò uno scompiglio gioioso fra i giovani piloti e Furio stesso parve travolto dall'entusiasmo.

Nei capannoni le grandi scritte consiglianti il laborioso silenzio parvero messe là per beffa. Si forbivano eliche cantando, s'ingrassavano motori fischiando, si ripassavano comandi e profilati, cavi e montanti, chiacchierando.

— Raccomando il paracadute — avvertí Furio. — Esigo che esso venga tenuto per tutto il viaggio.

E, volgendosi ad un giovanissimo maresciallo, soggiunse:

— Parlo per lei.

Il pilota arrossí, Furio sorrise.

— Anch'io pensavo come lei e credevo che un pilota dovesse sempre morire col proprio apparecchio. Ma mi sono dovuto convincere che è più facile fare un aeroplano che un pilota. Il dovere primo di un aviatore è quello di tentar tutto per salvare l'apparecchio; ma, se ogni manovra sarà vana, dovrà salvare almeno sé stesso! Dunque: guai a lei se lascerà il paracadute, se ne allenterà solo le cinghie. Intesi?

— Signorsí, ma avrò le spalle indolenzite.

Furio rise guardando le spalle quadrate e possenti del giovanotto.

— Cinque, sei chili su quelle sue spalle non saranno certo troppo peso, e poi il paracadute peserà su lo schienale, non su lei.

Risero tutti: erano allegri, felici, impazienti.

Passando fra ali, eliche e galleggianti, Furio ascoltava, senza volerlo, frasi e commenti. Un sergente ligure, nero come un merlo, diceva:

— Vorrei passare sul mio paese.

— Perché? — domandò un compagno.

— Per sputare sulla casa della mia galante che non mi vuole piú perché sono aviatore.

— Se ci passiamo, avvertimi. Ci sputo anch'io.

Più in là, un sottotenente diceva a un collega:

— Sai cosa mi ha già fruttato questo volo? La pace in famiglia. Ero in guerra con mio padre per una esagerata richiesta di carta filogranata. Da quando mi alleno la carta arriva regolarmente, non solo, ma c'è un premio in vista a volo compiuto. Ho donato una volpe a Miriam che ora mi adora, mi sono regalato questa *Marus* superba e ho pagato qualche chiodo. Sono, insomma, un uomo felice.

Chiacchiere, storielle, sciocchezze gaie fra ali, galleggianti e motori, ma nessuna apprensione, nessun rimpianto. Il primo lungo volo si tentava in pieno entusiasmo e in completa sicurezza.

— Che cosa fa? — domandò Furio a un tenente fulvo come una pannocchia, vedendolo con le mani intente a trafficare intorno al cruscotto.

Il tenente arrossí, non rispose.

— C'è un guasto?

— Comandante... attaccavo... mettevo...

— Ma dica! Qualunque sia il guaio, vedremo di rimediare.

— Non è un guaio, comandante, è una donna.

— Come?

Furio salí sull'apparecchio e vide, attaccato sopra la bussola, un ritrattino di bella donna.

Il tenente, confuso, aspettava una sfuriata, ma Villafranca rise e ammoní.

— Come portafortuna deve essere infallibile. Ma le consiglio di cambiargli posto. È pericoloso incontrare un visetto di donna quando s'ha bisogno di consultare la bussola. Guardi, lo metta qua...

E indicò lo spazio fra l'aerotermometro dell'olio e l'interruttore.

— Mi pare piú adatto questo posto. Che ne dice?

Il giovane rise e guardò Villafranca con occhi lucidi. Forse in lui c'era, prepotente, il bisogno di buttare le braccia al collo di quel superiore che sapeva essere fratello e compagno dei propri subalterni.

Ben presto Furio s'avvide che ogni idrocorsa aveva un portafortuna, e qualcuno ne aveva parecchi e in antitesi fra loro.

S'accorse cosí che il « Folgore » N. 2 aveva un orsetto di pelliccia, un'immagine di santa, una nera siluetta di donna nuda e uno spicchio d'aglio accuratamente avvolto nella carta velina e sospeso a un filo di seta azzurra. Pensò che anche Mino sarebbe partito col maggiolino di pietra dura e a sua volta palpò, nella tasca dei calzoni, il medaglione che racchiudeva, avvolto a spirale, il lunghissimo capello di Beba. Prima che il sole tramontasse i nove bolidi rossi erano pronti, detersi, sfavillanti e con le eliche tanto lucenti da sembrare cariche di scintille e di fremiti mentre la cellula, costruita arditamente, piena del liquido che doveva dar vita al motore, pareva l'ala terribile e possente d'un superbo mostro pronto a balzare alto e lontano.

Quando i piloti dei « Folgore » uscirono dai capannoni e furono tutti uniti sulla linea di volo, Furio avvertí:

— Per il nostro volo di prova io esigo ciò che è stabilito per il volo dimostrativo. La partenza si farà in formazione a cuneo e se per avaria un apparecchio dovrà ammarare gli altri dovranno proseguire, anche se l'apparecchio fosse il mio. Intesi? Ohe, ragazzi, parlo con voi!

I giovani erano rimasti perplessi; l'idea di dover proseguire senza il loro comandante li addolorava. Cosí, a malincuore, Mino rispose per tutti:

— Abbiamo capito e osserveremo severamente gli ordini.

* * *

La sera, coricandosi, Furio dichiarò a Beba:

— Ho sonno, i preparativi stancano piú del viaggio.

— Dormi — rispose Beba, e gli si adagiò accanto.

Furio sorrise e Beba all'improvviso lo baciò su i denti bianchissimi e l'avvinghiò con le belle braccia.

— Non hai sonno, Beba?

— No.

Il giovane le passò un braccio sotto le reni per attirarsela contro il petto. Sentí sulla pelle la fresca morbidezza dei capelli di Beba, si tuffò in tutto quel biondo e dimenticò il volo, la velocità, la lontananza che doveva affrontare.

E Beba, felice, ebbra, non sazia, non udí Furio che mormorava:

— Beba, Beba, mi fai morire.

* * *

All'alba gli apparecchi lasciarono l'azzurro mobile del lago per salire nell'altro azzurro.

Beba vide la freccia rossa e fragorosa partire, diventar piccola, segnare un piccolo V capovolto nel cielo e sparire.

Attese: e nell'attesa trepidò per Furio e per Mino comprendendo l'uno e l'altro nella medesima ansia.

Passò la giornata, venne il tramonto, piombò rapida la notte sul lago.

Dall'aeroporto grandi fasci di luci salirono a frugare fra le stelle, scesero a scrutare l'acqua. E finalmente, lontane, piccole, mobili stelle apparvero nel cielo.

Il triangolo luminoso urlò la gioia del ritorno, parve segnare per un attimo una nuova costellazione su l'orizzonte, s'abbassò, passò sulla villa.

Beba contò le stelle vaganti; ne mancava una.

S'era persa lassú, fra le stelle vere? O era caduta lontano? E chi era, chi era quello che mancava?

Gli apparecchi scesero sull'acqua, i fasci di luce li avvolsero, i numeri bianchi spiccarono su gli scafi rossi. Ma nella luce irrequieta, nell'improvvise ombre le parve difficile distinguere l'otto dal tre.

Uno dei due mancava, ma quale? Come essere certa se ora le appariva la gobba sagoma del tre e or ben chiari si distinguevano gli occhi dell'otto? Furio? No, Furio non poteva essere caduto. Mino, allora? Rivide gli occhi azzurri dell'amico buono, li pensò chiusi per sempre, gelò di fulmineo terrore e cadde a terra.

* * *

Quando si riprese vide curva su lei Zianna.

— Sono stata tanto male?

La zitella cacciò indietro le lacrime e rispose:

— Non pensare, Renata!

La giovane afferrò una mano della zia e domandò sottovoce:

— S'è fatto tanto male, Mino?

— Mino? — ripetè in un soffio Zianna sbalordita.

— È morto? — singhiozzò Beba.

La voce di Zianna tremò di dolore e di rabbia rispondendo:

— Mino sta benissimo, ma Furio ha la fronte spaccata e il tuo bimbo è morto.

Qualcuno afferrò bruscamente Zianna e la scostò dal letto.

Furio, che aveva il capo fasciato, si curvò su Beba:

— Amore, non soffrire. Io non volevo che tu sapessi, ma Zianna deve aver perduto la testa per annunciarti cosí tutta questa tragedia.

La povera donna guardava senza capire: una cosa sola le martellava nel cervello: l'atroce rivelazione involontariamente fattale da Beba.

La richiamò il singhiozzo disperato di Beba e la voce aspra, autoritaria dell'ostetrico:

— Avevo raccomandato prudenza e serenità. Mi accorgo d'aver parlato al vento.

E guardò Zianna duramente.

La povera zitellona, inchiodata da quello sguardo, rimase ritta in mezzo alla camera. Una lama di sole, entrando dalle griglie socchiuse, le colpí gli occhiali e subito una gibigiana tremula cominciò a correrle per il viso.

Beba piangeva, piangeva, mormorando parole che nessuno capiva. Ma il medico, scostando Furio, si curvò sulla donna e le disse:

— Basta! Non è lei la prima donna che abortisce, e bimbi ne verranno ancora. Bisogna però che lei si calmi e mi ascolti. Deve farlo per suo marito, che, con cinque punti nella testa, è scappato dall'ospedale per venire qui.

Beba s'afferrò disperatamente alle mani di Furio e singhiozzò:

— Perdonami!

— Perdonarti? Ma che cosa, povero amor mio?

— Lo so, la colpa è mia... T'ho amato troppo...

— No, Beba, m'è mancato il motore, tu non c'entri proprio.

— E il bimbo? Il bimbo è morto per colpa mia, perchè io ho creduto...

S'interruppe e nascose il viso nel lenzuolo.

— Hai creduto ch'io fossi morto? E sei caduta, povera Beba mia! E dovrei farti una colpa di questo? Sei la mia santa, la mia piccola santa.

— Ecco, siamo d'accordo — interruppe il medico — la signora è una santa. Ma è una santa che ha arrischiato la vita e deve riposare. Se ne vada, comandante, anche lei avrà bisogno di riposo. Non abusi della sua forza.

Furio, che veramente si reggeva a fatica, si lasciò convincere, baciò Beba e se ne andò col medico. Zianna s'avvicinò a Beba, le passò una mano sulla fronte e le disse:

— Dormi, Renata.

Beba chiuse gli occhi e finse di dormire per restare sola.

* * *

Mino venne a prendere notizie di Beba e di Furio. Fu ricevuto da quest'ultimo che, pallidissimo, se ne stava sdraiato sul letto.

— Come va?

— Meglio, ma risparmiami tutti i tuoi rimproveri. Io non c'entro. Il motore si piantò all'improvviso. Ero in quota di sicurezza e mi fu facile raggiungere il lago. La capottata la devo proprio alla sfortuna.

— No, la devi ai tuoi nervi stanchi. In altre condizioni, o ti saresti lanciato col paracadute o avresti manovrato diversamente. Ma ormai è tardi per discutere. Potevi essere morto, ed invece te la sei cavata con un graffio. I giornali si occupano di te, il mondo ti aspetta alla nuova prova. Ci fai ancora una figurona!

— Vuoi farmi arrabbiare? Se tu sapessi quanto soffro saresti piú generoso. Il mio apparecchio è distrutto...

— Te ne daranno un altro!

— Ma nessuno mi darà piú il mio Furietto!

— Cosa dici?

— Se ne è andato, il mio bambino. Vuoi vederlo?

Mino sbiancò, domandando:

— Vederlo?

— Oh! era già formato! Era un piccolissimo duca di Villafranca che attendeva di nascere. E invece, eccolo qui!

Balzò dal letto, aprí un armadio, ne tolse un vaso di vetro.

Immerso nell'alcool come una ciliegia, come un chicco di uva salamanna, il figlio di Beba e di Furio se ne stava lí, fra coperchio e fondo, col suo corpicino biancastro e già formato, coi piccolissimi pugni chiusi davanti a quei buchi che sarebbero diventati occhi.

Furio posò il vaso sopra un mobile, cadde bocconi sul letto e soffocò nel guanciale l'urlo di dolore che da tante ore gli spezzava il petto.

— Per carità, non fare cosí. Starai male. Ti verrà la febbre — implorava Mino.

Furio si alzò, si piantò dritto davanti a quel piccolo bimbo morto prima di nascere e mormorò:

— Mi pare troppo tutto questo male in una volta sola! Non avevo mai scassato un apparecchio, ora ho distrutto il mio superbo idrovolante; avevo desiderato un bimbo, quasi con spasimo, soffrendo perché tardava a venire: il bimbo venne: lo desiderai maschio e fu maschio. E ora eccolo qui il Furietto tanto invocato!

Accarezzò il vetro: dentro, nell'alcool, il feto si mosse, oscillò, i piedini parvero accennare un passo.

Furio, inorridito, afferrò le mani dell'amico, nascose il viso sulla sua spalla. Mino s'accorse ch'egli tremava:

— Furio, basta, pensa anche a lei, alla tua povera Beba.

— Passa, passa. Hai ragione tu.

Voltò le spalle all'esserino non nato e disse a Mino:

— Beba non deve sapere che il bimbo era già formato. A quest'ora l'ostetrico le avrà già detto che la sua creatura era un *nulla* di carne, un trascurabile mucchietto di roba senza sesso. Soffrirà meno, soffrirei meno io stesso se mi potessi dire: non so neppure se era maschio o femmina.

— E ti lasceranno questo povero esserino? Lo conserverai per tutta la vita?

— Vorrei dargli un posto nella tomba dei Villafranca: se ne avrò il permesso lo porterai tu, in volo, alla mia mamma. Cosí, io che volevo fare di mio figlio un aviatore, lo vedrò partire per il primo e ultimo volo, chiuso in una bara che parrà una scatola.

— Farò tutto ciò che tu vorrai, ma ora riposa, non pensare piú, non soffrire piú.

Furio si riadagiò sul letto e Mino accostò una sedia al capezzale e rimase cosí, assorto e silenzioso, con le mani fraternamente allacciate a quelle dell'amico diletto.

Parlò Furio per il primo, per domandare:

— Hai notizie di Elma?

Mino trasalí. La mattina stessa dalla sua bimba aveva avuto un breve scritto nel quale, a lettere cubitali, Elma gli diceva di volergli tanto bene e di ricordarlo sempre. Quel foglio, Mino l'aveva sul cuore; ma alla domanda dell'amico rispose:

— Non so nulla, da molto tempo...

Furio strinse le mani di Sant'Elmo e gli parve di non essere solo a soffrire per un bimbo che non c'era piú.

Silenzio di nuovo.

A poco a poco Furio s'assopí. Mino si alzò, in punta di piedi raggiunse la porta, socchiuse, guardò: Beba dormiva e un'infermiera riponeva grossi fiocchi di bambagia.

Entrò, chiese sottovoce:

— Come sta?

— Bene, ma guardi come è bianca. S'è dissanguata, povera creatura!

Mino guardò Beba e la vide cosí bella, cosí stanca, cosí purificata da quel sangue che le era uscito dalle vene, che a stento si trattenne dall'inginocchiarsi accanto a lei.

L'infermiera s'avvicinò al letto per suonare il campanello:

— Che fa? — domandò Mino.

— Devo uscire, chiamo qualcuno.

— Rimango io, vada pure.

Il leggero rumore della porta che l'infermiera si chiuse alle spalle svegliò Beba. Vide Mino accanto a lei, domandò:

— Furio?

— Dorme.

— Zianna, il medico?

— In giardino.

— Allora Mino abbassatevi, ascoltate, bisogna che vi dica.

C'era tanto affanno nella sua voce, tanto sgomento nelle sue parole, che Mino ne ebbe paura.

— Io, Mino, sono svenuta quando mi accorsi che l'apparecchio che mancava era il tre.

— L'otto: il mio c'era.

— Lo so, ma a me parve il tre. Ti vidi perduto, morto, caduto chi sa dove. Non pensai a Furio, pensai a te e svenni e uccisi la mia creatura. Ora che sai, aiutami a guarire, aiutami tu, perché io... io non saprò far nulla per salvarmi. C'è in me quel sangue maledetto. Ho fatto cadere Furio, mi sono innamorata di te, cosí, perché venivi in casa. Se fosse venuto un altro, sarebbe stato lo stesso. Salvami tu, o io mi ammazzo.

Mino non seppe rispondere. Avrebbe voluto dire a Beba che l'adorava. Avrebbe voluto gridarle il suo amore, la sua passione. Ma rivide Furio ritto davanti al triste corpicino, e accarezzando una mano di Beba, con voce ferma, le disse:

— Bisogna fare in modo che Furio non s'accorga di nulla; gli abbiamo già ucciso il suo bambino...

— Anche tu, Mino, anche tu mi vuoi bene?

— Lo sai, Beba. Ma ti giuro sulla tua creatura morta e sulla mia bimba viva, ti prometto che appena compiuto il grande volo me ne andrò. Lontano, lontano anche per un apparecchio veloce.

Baciò la mano di Beba e tornò nella camera di Furio. Il giovane dormiva profondamente. Piano piano, Mino uscí, scese nel giardino, parlottò con l'ostetrico. Ritornò nella camera di Furio, avvolse in una stoffa il vaso di vetro e se ne andò.

* * *

Poco dopo Furio sobbalzò udendo rombare sulla casa un apparecchio. S'alzò, guardò in alto. Dalle strette virate in cabrata capí che il pilota era Mino.

— Disturberà Beba... — pensò Furio. Ma all'improvviso un pensiero gli folgorò nel cuore: sul mobile il vaso non c'era piú.

Aprí l'armadio: comprese.

Ritornò alla finestra.

L'apparecchio s'abbassò, gli frecciò davanti, riprese quota, s'allontanò. Furio lo vide rimpicciolire, farsi linea scura nel turchino, diventare un punto, sparire. Allora alzò il braccio, salutò militarmente l'azzurro ch'era stato la prima e ultima strada del suo piccino e andò da Beba.

— T'ha svegliata l'apparecchio?

— No, non dormivo.

— Mino è passato in volo sulla casa. È il primo canto di motori che ti saluta, dopo il gran male. Ricordalo, Beba!

— Lo ricorderò, Furio — promise la donna. Sollevò un braccio, accarezzò le bende di Furio. — Soffri?

— Ma no, amore! In una settimana sarò guarito. Rimarrà il segno: ti piacerò egualmente?

Due lacrime silenziose scesero lungo le guance di Beba.

— T'amerò di piú, Furio. Ti preparerò presto un altro bambino, ti farò dimenticare questi giorni orribili e dimenticherò anch'io. Te lo prometto.

* * *

Aura giunse due giorni dopo e appena sola con Furio gli disse:

— Non ha avuto battesimo, il piccino, e non può avere un nome, una lapide. Ma il suo posticino l'ha, accanto ai nostri vecchi: avrà anche i suoi fiori. Però non combinarmi piú malanni. Tu arrischi la vita, Beba per poco non muore e mi fa morire il mio nipotino. Ora tu e Beba avete bisogno di serenità. Venite al castello.

— Non è possibile, mamma. Appena sarà pronto il mio nuovo apparecchio riprenderò i miei voli.

Aura impallidí un poco e posando le mani sulle spalle di Furio mormorò:

— Devi pensare anche a Beba che non sopporterebbe un altro dolore.

Andò dalla nuora e, curvandosi a baciarla, dolcemente la rimproverò:

— Io ti ringrazio per il bene che vuoi a Furio, ma ti sgrido perché mi hai privata dell'atteso nipotino... o nipotina. — Vide negli occhi di Beba uno smarrimento doloroso, l'accarezzò, l'incoraggiò:

— Starai bene presto, verrai al castello, preparerai un altro fantolino e di tutto questo non rimarrà piú nulla, nemmeno il ricordo.

— Rimarrò qui, mamma. Non posso lasciare questa casa, non devo allontanarmi da Furio dopo avergli fatto tanto male!

— Ma che male puoi aver fatto, povera bambina mia?

E questa volta la mamma di Furio baciò le mani alla piccola nuora.

Aura ripartí serena e tranquilla, certa che l'amore di Beba e Furio avrebbe presto creato un nuovo piccolo duca di Villafranca.

Rimase Zianna presso Beba.

Quando la giovane lasciò il letto, scrutandosi nello specchio domandò alla zia:

— Sono bella ancora?

— Perché non dovresti esserlo?

— Ho paura di non piacere piú.

— A chi?

La risposta venne dopo un momento di esitazione:

— A Furio, Zianna. Non devo piacere ad altri, io!

Anna tacque, poi all'improvviso osservò sorridendo:

— Ho pensato male di te, Renata.

La giovane trasalí, la zitella se ne accorse e continuò, senza piú sorridere:

— Ho pensato male perché t'ho vista inquieta per Sant'Elmo.

— È un amico di Furio.

— Lo so; ma non è necessario che le mogli si prendano tanto a cuore la sorte degli amici del marito.

— Mino è anche mio amico, e io gli voglio bene.

— Troppo bene.

— Ma Zianna, che cosa pensi?

— Nulla di male, Renata, ma ho paura che il male sia in cammino. Io ne morirei, Renata, e Furio... Renata, Furio mi è caro quanto te. Non farlo soffrire perché troveresti in me una tua nemica pronta a difenderlo. Furio, che t'ha presa cosí, conoscendo solo, della tua vita, le grandi linee, che t'ha offerto, per coprire il tuo povero nome macchiato, il suo radioso nome purissimo, che t'ha dato la sua giovinezza, merita tutto il tuo rispetto. Tu l'hai già tradito...

— No, ti giuro — urlò Beba.

— Sí, la presunta sciagura di un altro ha fatto morire il suo bambino. Moralmente tu lo hai tradito. Guarisci, salvati, Renata, e ricorda: io che ti proibivo di ricordare, voglio ora che tu pensi a tuo padre e... a quell'altra.

Beba, piangendo, promise.

— Guarirò, Zianna, sarò tanto, tanto buona, non farò male a Furio, ma non giudicarmi perché io stessa non sapevo di amare.

— Io ho tanta fiducia nella mia Renata; Beba la conosco poco e non so se potrò partire tranquilla.

— Sí, zia, Beba promette.

Zianna partí, e quando arrivò nella sua villa cheta si pentí d'aver lasciato Renata.

Mustafà, seduto sul letto con la coda avvolta attorno alle zampine, gli orecchi diritti e gli occhi socchiusi, guardava la padrona che si agitava, posava una cosa e la riprendeva, camminava e non combinava nulla.

— Perché mi guardi? — domandò Zianna al gatto.

— Miao — rispose l'interpellato.

— Levati dal letto, fuori dai piedi!

— Miao, miao — rispose Mustafà, ma non si mosse. La vecchia guardò stupita il gattone. Aveva ragione lui. Perché doveva andarsene, se per consuetudine un angolino di quel letto gli apparteneva? Quando non si vuole una cosa bisogna dirlo fin dal primo giorno; dopo, è sempre tardi.

Ancora una volta Zianna ebbe occasione di chiamarsi vecchia pazza, maligna e rancida zitella. Renata non poteva errare, Renata era forte, saggia, severa con sé stessa, fedele a Furio.

Rasserenata da questo convincimento riprese la vita tranquilla, continuò a tormentare bonariamente Gambastorta e Martina, cercò sempre gli occhiali che aveva sul naso e permise beati riposi sul letto a quel bianco e sornione idolo che si chiamava Mustafà.

* * *

Quando Furio si tolse le bende Beba pianse.

La cicatrice rossa le feriva gli occhi come una lama.

— La colpa è mia, — si diceva — sono stata io — e baciava il rosso segno lasciato dalla recente ferita. Diventò triste, lei che era stata tutta sorrisi.

Ebbe improvvise malinconie, lunghe ore di pianto.

Furio attribuí alla perdita del bimbo la causa di tutto quel dolore, le offrí divertimenti, doni, amore.

Beba, affettuosa, dolcissima, sorrideva a Furio, lo colmava di attenzioni, si faceva sempre piú umile, ma non sapeva piú donarsi al marito.

Soffriva e avrebbe voluto dirgli di non amarla piú perché ella ne amava un altro. L'amore per Mino ingigantiva, i sensi urlavano solo per lui, e le carezze di Furio diventavano una tortura. La sera, quando Mino non si faceva vivo, si coricava senza parlare, col cuore gonfio e un desiderio pazzo di carezze. Quelle di Furio ormai le accettava per punire i propri sensi che volevano un altro, quello che aveva due grandi dolci occhi color sereno e acqua tranquilla, quello che le era stato vicino, vigile, amico devoto nei momenti di dolore.

Odiò Clara, soffrí pensando a Elma, imparò a distinguere, tra le frecce rosse, quella pilotata da Mino.

E, quando Furio riprese i voli, non cercò piú nel cielo la sua macchina, ma seguí sempre quella che passava piú alta e piú lontana, quella dalle inequivocabili virate in cabrata, quella che si portava nel cielo due occhi imbevuti di turchino.

— Perché ti fai tanto prezioso? — chiese Furio all'amico. — Averti a pranzo, diventa una cosa difficile. Stai tanto bene all'albergo? Che cosa fai, la sera?

— Faccio all'amore — rispose Mino.

Beba sbiancò e il bel viso si contrasse dolorosamente. Commosso da quel tormentato silenzio, Sant'Elmo volle rassicurarla:

— Scherzo, Furio! La sera non mi muovo dal campo e all'albergo dormo sempre solo.

— Dovresti riprendere le vecchie abitudini: vieni a cena, rimani con noi a fumare una sigaretta, poi te ne vai a dormire. La mia casa è troppo triste, Beba non è piú la mia Beba e io stesso non sono piú quello di una volta. Forse la caduta ha scosso i miei nervi.

— Ti riprenderai.

— Lo spero. Ma dopo il volo, via! E tu verrai con noi.

— Io? — stupí Mino.

— Sí, andremo nel Congo. Vuoi? Non ti sorride l'idea di rivedere Clara, di riabbracciare Elma?

Mino guardò Beba: si torceva le belle dita soffocando parole e lamenti.

— Perché vuoi che io turbi la tranquillità di Clara? Essa ha dimenticato ed io non l'amo piú.

Il viso di Beba s'irradiò di gioia, le lunghe dita delle belle mani s'intrecciarono dolcemente.

— E a Elma non pensi piú?

— Alla mia piccola penso sempre. Ma perché andare fin laggiú se non potrò nemmeno dirle che le voglio tanto bene?

— Andremo a Parigi, allora; la mia Beba stupirà quel mondo avido di novità. Vivremo una vita disordinata, pazza; io ho bisogno di stordirmi, e anche Beba. È vero, cara?

Beba tentò di scherzare e osservò:

— Ma tu non sarai geloso, poi?

— No, perché saremo in due a sorvegliarti e di Mino, oramai, non ho piú paura.

Il giovane guardò Furio: scherzava? Mascherava un gioco? Quando Mino, andandosene, baciò la mano a Beba, sentí la pelle scottargli le labbra cosí da averne un brivido di piacere.

L'indomani Furio partí per andare ad acquistare alcune bussole speciali.

Mino rimase solo con Beba. Cenarono quasi in silenzio e quando Sant'Elmo chiese il permesso di fumare, la donna, sorridendo, gli offrí un fiammifero acceso. Le bianche mani tremavano e Mino le chiuse fra le sue per fermare la vacillante fiammella. Ma la fiamma si spense, il fiammifero cadde e le mani rimasero unite.

Beba aveva le trecce lente, il bel viso incorniciato d'oro, le labbra rosse. Dolcemente, Mino svincolò le sue dalle mani della giovane, nascose il volto nelle palme e balbettò:

— No, no, Beba. Non guariremo mai, cosí! Su, coraggio, mandami via!

— Mino, Mino, non te ne andare, rimani qui. Mi metterò su quella poltrona, lontana da te, ma non lasciarmi sola!

Cadde su una poltrona lontana da Sant'Elmo.

— Perché vuoi soffrire? Perché vuoi farmi soffrire? Lasciami andare, piccola!

— Da quanto tempo mi vuoi bene, Mino?

— Da quando ti conosco. Ma le date non contano, Beba mia; perché il nostro amore non dovrà mai avere una data.

Poi, all'improvviso, domandò:

— Se in questo momento ti dicessi: andiamo in barca, soli, nella notte, tu verresti?

— Sí, Mino.

Il giovane si alzò, posò le mani sui braccioli, si curvò su Beba e sottovoce le chiese:

— E poi?

— E poi credo che ritornerò la Beba di una volta. Perché io non sono piú la sposa di Furio, sono una donna che subisce le carezze d'un maschio pensando a un altro, per non soffrire troppo, per non averne schifo...

— No! — gridò Mino — dimmi che non è cosí, dimmi che Furio ti piace ancora, dimmi...

Desolatamente la donna l'interruppe:

— Ma perché vuoi farmi mentire?

— E Furio?

— Furio osserva, tace, piange.

— Piange?

— Sí.

— Bisogna farlo sorridere, il nostro Furio! È necessario che tu sia ancora, per lui, la sposa innamorata! Tu non hai forse mai capito tutto l'amore di Furio per te!

Nella mente di Beba, veloce e spaventosamente vivo, passò il ricordo di tante notti d'amore e di tante ore di tormento. Vide Furio curvo su di lei, maschio, esuberante e appassionato nell'atto di darle col piacere la vita. Lo ricordò, violento e crudele, pronto a spezzarla. Provò ancora il bruciore alla guancia, il dolore alle braccia, al corpo torturati dalle sue mani impazzite, e domandò:

— Se tu potessi portarmi via, saresti poi capace di battermi?

— Batterti? Ma nemmeno coll'ala d'una farfalla si devono battere le donne!

Ma poi, comprendendo a un tratto la domanda di Beba, aggiunse:

— A lui non devi farne colpa. Per te ha arrischiato la vita. Io l'ho visto qualche volta salire in volo pallido, stanco, sfatto. Tu l'amavi troppo. Ti dava il suo sangue dandoti l'amore e tu non hai mai capito. Voi donne capite solo quello che non si fa per voi, ma tutto ciò che un uomo vi dà non è nulla, anche se ciò che vi mette nelle mani è la sua esistenza.

Entrò Lina e portò un telegramma a Beba.

— Furio tornerà domattina — annunciò la donna dopo aver letto.

— Allora non l'attendo piú, e me ne vado — dichiarò Mino.

— È presto. Portatemi in barca — pregò Beba. — Voi starete ai remi, io a poppa. Va bene?

Andarono nel raggio della luna, si fecero portare dalla dolce corrente del fiume, si fermarono sotto un gran ponte insensibile per vecchia abitudine al fragore dei treni, al mormorío d'amore, al sospirare dei baci.

— Guarda, Beba, l'aeroporto, laggiú, par staccato dal mondo. Sembra il regno del silenzio e della quiete ed è il dominio del fragore e della velocità.

Beba si alzò, gli si accucciò ai piedi.

— Alzati — ordinò con voce dura il giovane.

— Baciami. Forse, dopo, non penserò piú.

— Tu credi, Beba?

— Io spero, Mino.

I capelli sciolti gli caddero sul viso, l'avvolsero, il bel corpo gli si offrí, le labbra calde, giovani, innamorate cercarono la sua bocca.

— Beba, — mormorò, scostandola, Mino — pensa a domani, quando dovremo guardare Furio negli occhi.

— Sí, sí, hai ragione tu, ma mi par d'impazzire.

— Su, amore, su, torna al tuo posto.

Si alzò, vacillando tornò a poppa, cadde sul cuscino e scoppiò in singhiozzi.

Mino s'inginocchiò davanti a lei, sollevò un fascio di capelli e li portò alle labbra.

Le tempie gli pulsavano fino a scoppiare, gli occhi non vedevano piú, le nari fremevano sature di un odore di bella donna pulita, sana, giovane, squisitamente profumata. Una gamba tornita gli sfiorò un braccio, il petto. Abbassò il capo e la sua bocca trovò la salda morbidezza di un ginocchio perfetto. Si rialzò bruscamente e le labbra desiose trovarono, senza cercarle, due altre labbra. La barca oscillò dolcemente sull'acqua, cullò il loro amore. Un treno si precipitò sul ponte con pauroso fragore di ferro, e Mino, nascondendo il viso nei capelli di Beba, desiderò d'essere travolto da quell'enorme mostro che fuggiva urlando, invocò disperatamente la morte per dimenticare subito la sua vergogna, il suo tradimento, il suo amore.

* * *

L'indomani, davanti a Furio, si guardarono in viso. Mino era pallido, distratto, nervoso. Beba era calma, di quella calma simile alla spossatezza che subentra alle grandi lotte.

— Che hai? — domandò Furio a Mino.

— Nulla — mormorò il giovane.

— Pensi alla prossima clausura? — E volgendosi a Beba desolatamente le annunciò:

— Ancora otto giorni, Beba, poi non potremo lasciare l'aeroporto. Ti vedrò da lontano, Beba mia!

La donna impallidí, Furio se ne accorse e, accarezzandola con infinita dolcezza, la rassicurò:

— Un mese passerà presto. Poi il nostro bel volo,

finalmente, e tutto il mondo col naso all'aria a vederci passare. — Guardò Mino che ammucchiava nel portacenere mozziconi di sigarette e gli disse:

— Domani bisognerà cominciare a far quota. Temo che a tremila batteremo i denti. Copriti bene, non ti fidare di questa temperatura.

Gli occhi di Mino si gonfiarono di lacrime.

Se l'amico l'avesse schiaffeggiato, insultato, scacciato, avrebbe sofferto meno.

* * *

La sera, quando Furio coricato accanto a Beba tentò una carezza, essa trattenne a stento un moto d'orrore, orrore di sé, che si metteva al livello dell'altra, di quella donna mai invocata col santo nome di mamma.

— Non mi vuoi, Beba?

— Sono cosí triste, Furio! Sto cosí male! — balbettò.

— Non importa, cara! Rimani qui, accanto a me: non chiedo che il tepore del tuo corpo e la morbidezza dei tuoi capelli.

Beba si rifugiò fra le braccia di Furio. La stretta amorosa delle forti braccia si fece tenera, dolce, paterna; egli la cullò come un bimbo, le ripeté sommessamente la propria dedizione, il suo grande amore. Le confessò progetti e speranze e infine, adagiandola dolcemente sul guanciale, le disse ancora:

— Dopo, quando tornerò, prepareremo un altro Furietto. Tu starai bene, io sarò libero! Abbiamo ancora tanti baci per noi, bambola mia! Sei contenta?

— Sí, Furio, — rispose Beba, e subito soggiunse:

— Ma intanto nell'attesa che cosa farò io?

— Vuoi andare da Zianna? Da mia mamma?

— No.

— Ti annoierai... — sussurrò Furio scontento. Ma subito, rallegrato da un pensiero improvviso:

— Vuoi... vuoi che ti cerchi un pilota e che ti mandi in giro per il cielo col nostro piccolo idrovolante? In pochi giorni ti farò preparare uno scivolo, vuoi?

Gli occhi di Beba brillarono di gioia, batté infantilmente le palme, e, prima che Furio potesse impedirlo, si curvò a baciargli le mani.

— Bambina mia, che cosa fai?

Ella non rispose, ma negli occhi Furio le vide una luce nuova, una luce fatta di pianto, d'amore, di strazio.

— Tu soffri, Beba, tu mi nascondi qualche cosa. Forse io so cos'è.

Tremando, Beba attese e Furio continuò:

— Tu piangi la nostra creatura e non vuoi dirlo, non vuoi mostrarlo. Sii forte, cara, ho sofferto tanto anch'io. Ma ora sono sereno perché so che altri Furietti verranno. E non nasconderlo al tuo Furio, questo dolore. Nessuno ti può capire meglio di me.

Le baciò gli occhi, poi le annunciò:

— Domani stesso avrai qui apparecchio e pilota. Ho un mio vecchio amico (brutto, sai, ma formidabile volatore) che mi si raccomandò per ottenere un impiego nell'aviazione civile. Il posto, per ora, glielo preparo io. Posto invidiabile! Vorrei essere io il pilota! Gli dirai di venire incontro a noi, sul tramonto, cosí ti potrò salutare anche in alto e a me parrà d'essere meno solo, meno lontano, meno in castigo. Ora dormi, bambina.

Beba chiuse gli occhi: egli la contemplò e gli parve che il bel volto fosse smagrito.

— Forse il dolore recente l'ha affinato cosí... — pensò Furio.

Le si allungò accanto e per la prima volta seppe resistere al desiderio folle dei sensi che volevano Beba.

Poco dopo, il respiro tranquillo di Furio accertò Beba ch'egli dormiva.

Allora ella aprí gli occhi. La lampada azzurra metteva sul viso di Furio una luce placida e serena. I capelli biondi buttati indietro scoprivano la cicatrice rossa che gli spaccava la bella fronte.

Dormiva seminudo offrendo a Beba la levigata gagliardia del suo corpo perfetto.

— Perché, perché gli ho preferito Mino? Perché l'ho tradito? — si domandò Beba straziandosi. — Che cosa ha Mino piú di lui?

Pensò a Zianna che aveva fede in lei, alla mamma di Furio che le aveva baciato le mani, a Momo di Villafranca che le aveva mandato una paterna lettera, pensò a Mino ch'ella aveva travolto e dal quale ormai poteva essere giudicata.

Si sentí piccola, sola, troppo giovane per sofferenze cosí grandi, troppo bimba per sapersi salvare da errori fatali. Cercò, fra i nomi cari, un nome da invocare per la sua salvezza. Ma non ne trovò nessuno.

Un singhiozzo le spezzò il petto, e finalmente un nome, il nome cercato le salì dal cuore:

— Dio! Aiutami tu, Dio mio, perché io mi sono perduta!

* * *

Ormeggiato a un gavitello con la coda a terra, l'apparecchio attendeva d'innalzarsi per il quotidiano volo.

Chiusa nella tenuta sportiva, Beba parlava col pilota, un piccolo uomo dagli occhi vivaci, scuri, nel viso asciutto e bruno.

— Non sganci il doppio comando, voglio pilotare anch'io.

— Come vuole, duchessa.

Beba osservò attentamente il lavoro del pilota.

Vide ch'egli metteva la leva del commutatore a zero, quindi apriva i robinetti di immissione della benzina. Ricordò questa prima manovra, volle essa stessa ripeterla.

E il pilota l'assecondò, spiegandole chiaramente ogni movimento. Poi, quando furono su, egli abbandonò i comandi e Beba, dolcemente, tentò la leva.

La sera scrisse a Furio:

« Oggi ho portato l'apparecchio da me. Sono ormai un'aviatrice. Ti ho lasciato, su nel cielo, un bacio. Domattina lo troverai quando salirai per il tuo allenamento. — Beba tua. »

Dal suo luogo di clausura, Furio rispose:

« Grazie, Beba mia! Ti eleggo fin d'ora mio pilota

scelto. La tua passione per il volo mi rende orgoglioso, ti so ancor piú mia, piú vicina a me. Ti preparo una piccola sorpresa. Ti adoro. — Furio. »

* * *

La sorpresa Beba l'ebbe l'indomani, quando, ancora a letto, vide entrare Furio nella sua camera.

— Sei libero? Come mai?

— È il Venti Settembre, Beba! Festa! Libertà!

Beba impallidí mortalmente, e stupíto il giovane la sentí mormorare:

— Venti Settembre! Ma allora... ma dunque!

Parve a Furio che, contando sulle dita, facesse un calcolo. Sentí il corpo di Beba coprirsi di un sudore gelido e, spaventato, l'interrogò:

— Stai male? Cos'hai? Cosa pensi?

— Nulla, — rispose con voce roca — solo... avevo dimenticato le date. Dal 15 sono passati cinque giorni. Non lo sapevo, non me ne ero accorta.

— Ma che data è il 15 per te?

Beba lo guardò con occhi smarriti, fissando lontano con sguardo vitreo, folle, balbettò:

— S'avvicina la data della partenza!

— Beba mia! Non preoccuparti, tienmi con te, vicino a te. Mi fai un po' di posto in questo tuo lettino? Mi vuoi, Beba?

— No — urlò Beba. Balzò dal letto, tentò fuggire. Furio l'afferrò, la rovesciò.

— No, non voglio, non devo, non devo, — smaniava Beba.

— Beba mia, non temere. Non può farmi male, non può stancarmi. Ho bisogno di te. Non pensare ai miei voli. Sei troppo buona, tu!

Beba allora si abbandonò, si donò, con furore, piangendo, balbettando parole che a Furio parvero d'amore ed erano di disperazione.

Poi rimase con la testa affondata nei capelli e nel guanciale, gli occhi perduti nelle lacrime, il corpo scosso da un tremito penoso.

— T'ho sentita cosí mia, Beba, da essere autorizzato a pensare che un nuovo Furietto nascerà.

— Taci! — gridò Beba.

— Soffri ancora? Non ne parliamo e aspettiamo. Tu sei nervosa, hai i nervi che vibrano, povera bambina. Rimani qui, cheta, cerca di dormire. Io ti accarezzo cosí, lieve lieve, come accarezzo il volantino del mio apparecchio rosso. Alla carezza gentile l'idrovolante ubbidisce, alle manovre brusche si ribella. Fai come lui; ubbidisci, dormi. Io ti adoro, Beba, e tu?

— Credo di capire solo ora l'immensità del mio amore per te.

— E sarà cosí per sempre, Beba?

Beba gli prese le mani, chiuse gli occhi e mormorò:

— Fino alla morte, Furio.

E Furio tornò all'aeroporto col cuore gonfio di gioia.

Salí sull'apparecchio e canterellando si strinse con la cinghia al seggiolino. Passò come una freccia davanti alla casa di Beba, si portò in alto il ricordo di quell'ultima ora d'amore. Passò sul fiume, volò sopra il gran ponte, virò stretto, vide sotto di sé un altro bolide rosso. Gli parve sospeso fra acqua e cielo, immobile. Si buttò giú, gli si mise a fianco. L'apparecchio, che si dirigeva verso la casa di Beba, virò bruscamente, ritornò sulla propria scía. Furio lo lasciò andare. Passò basso davanti alle finestre di Beba: vide, nel sole, uno sfolgorío biondo: urlò: « Buon giorno, sole! » sicuro d'essere udito dal cuore di Beba. E con quel biondo negli occhi ricominciò a salire. Tremila, tremilacinquecento. E Beba lo raggiunse anche a quell'altezza per ricordargli che laggiú, in una di quelle case grandi come scatole di cerini, si attendeva trepidando il suo ritorno.

Il cielo era immenso, immenso come la sua gioia, limpido come l'avvenire che egli vedeva tessuto solo da giorni lieti. Laggiú in una scatola a buchi l'aspettava Beba.

Il velivolo s'impennò con uno sforzo rabbioso: il motore rallentò. Furio spinse la leva, cominciò la discesa ad ampie spirali, simile al girifalco terribile che, spiata dall'alto la preda, si prepara a piombare su lei. Giú, giú incontro a Beba!

L'apparecchio cominciò a fremere, il lago diventò piú vasto, le case non furono piú piccole come quelle dei presepî e quelle che di lassú parevano aiuole ridiventarono colline.

Un apparecchio bianco si staccò dall'acqua, salí incontro a lui.

— Beba! — chiamò il cuore.

Si mise in perpendicolare sull'apparecchio ed eseguí una capriola gioiosa in omaggio al suo biondo amore.

* * *

Per due ore Beba rimase cosí: i gomiti appoggiati alla piccola scrivania, il viso fra le palme, gli occhi fissi al ritratto di Furio. Il cervello, dopo le tremende notti insonni, riposava.

Non piangeva piú, ma il viso pallido, smagrito, sofferente, diceva tutte le lagrime piante.

All'improvviso balzò in piedi, presa da una súbita decisione; baciò a lungo la fotografia di Furio, suonò un campanello, e a Lina, apparsa, domandò:

— Il pilota è fuori?

— Sí, duchessa.

— Marco?

— È andato a Milano per quelle commissioni.

— Va bene, andrai tu, allora... — S'interruppe Dove poteva mandare Lina?

Tornò alla scrivania, scrisse un telegramma per la sarta. Rileggendolo, sorrise.

— Ecco, Lina; andrai al telegrafo. Chiudi il cancello.

— Ma rimarrà sola, duchessa.

— Non ho bisogno di nulla.

Appena Lina se ne fu andata uscí dalla camera con passo sicuro per rientrarvi poco dopo chiusa nella tenuta di volo. Tolse dalla cornice il ritratto di Furio e lo introdusse nel corpetto, fra la pelle e gli abiti.

Scese nel giardino. L'apparecchio, ormeggiato al gavitello, con la coda a terra, attendeva.

Salí, slegò il cavo, sedette al posto del pilota.

Diede il gas; l'urlo del motore esplose rabbioso: sotto l'azione possente dell'elica il velivolo iniziò la corsa veloce; Beba la disciplinò con l'opportuno movimento del timone; quando l'apparecchio fu sul *redàn*, al primo spostamento del timone di profondità, decollò.

Tirò la leva e l'apparecchio cominciò a salire. Sporse il capo. Vide i bolidi rossi sulla linea di volo, e attorno ad essi un avvicendarsi di uomini. Riadeguò le ali, lasciò i comandi, trasse la fotografia di Furio, la baciò.

All'improvviso l'apparecchio ebbe un tuffo: era ormai a mille metri. Guardò giú: tutto era piccolo, confuso, torbido. Un altro strappo alla leva; con sforzo l'apparecchio salí ancora. Ma ad un tratto il motore cominciò a rallentare, il suo rombo allegro si fece gemito.

Il palpito della vita meccanica sembrava lamentarsi, chiamare aiuto perché non lo facessero morire.

La fotografia di Furio stretta al cuore, la follía negli occhi, Beba attese. Ah! come si ribellava il piccolo apparecchio d'argento, come reagiva, come si aggrappava al sereno per non cadere! Decisamente, Beba chiuse la manetta del gas, spinse la leva, buttò giú l'apparecchio a capofitto. L'aria fischiò, urlò, cantò intorno a lei, poi, all'improvviso, silenzio. E nel silenzio Beba si sentí diventare leggera; qualcuno la strappava dall'apparecchio morente, la portava in alto, la portava lontano. Guardò: vide due volti di bambino: uno era biondo come Furio, l'altro aveva gli occhi azzurri di Mino.

— Vattene, tu — gridò al bimbo dagli occhi turchini.

Ma il piccino le mise le manine sugli occhi, ed ella non vide piú nulla, nemmeno la morte.

EPILOGO

— Vuol continuare l'allenamento? Vuol rimandare la partenza?

Il generale, tenendo nelle sue le mani di Furio, lo guardava fraternamente.

— No Eccellenza. Nulla deve mutare. Io partirò. Soltanto vorrei chiederle una grazia. Aspetto altri palombari. Vorrei rimanere qui fino a quando avranno ritrovato Beba o fino a quando... — s'interruppe, un gemito gli uscí dalle labbra, e proseguí con fatica... — o fino a quando avrò la certezza che non la troverò mai piú.

— La troverà, la troverà, si dia pace. Io le lascio tutto il tempo che vuole.

— Grazie, Eccellenza! Ma spero poco, ormai. Da dieci giorni cercano, frugano, scandagliano. Non l'avrò piú, nemmeno morta.

Il generale gli passò un braccio attorno alle spalle. Furio, stupíto, lo guardò e vide che negli occhi del giovane superiore tremavano le lacrime.

Allora non seppe piú tenersi, nascose il viso nelle

braccia piegate, s'appoggiò al fianco d'uno scafo rosso e pianse, pianse e urlò il nome della sua donna.

In disparte, solo, impietrito, Mino Sant'Elmo guardava. Fin dal primo momento aveva confusamente intuito che la morte di Beba non era dovuta a disgrazia. Ma perché ella aveva cercato volontariamente la morte? Che cosa era accaduto negli ultimi giorni?

Furio si eresse con sforzo, asciugò gli occhi, desolatamente mormorò:

— Mi perdoni, Eccellenza.

— Non dica sciocchezze, la prego. Vada, esca, si muova. Io tornerò presto. Arrivederci, caro Villafranca, e coraggio.

Il giovane s'irrigidí e gli piantò in viso due occhi disperati che forse non vedevano.

* * *

Nulla! I palombari scesero e salirono, frugarono, interrogarono il verde cupo e terribile del fondo: nulla.

Quella che nella vita era passata bella, dolce, luminosa come fata da leggenda, era sparita come spariscono le fate bionde delle fiabe infantili.

E un mattino Furio, mettendosi sull'attenti davanti al suo generale, gli disse:

— Eccellenza, siamo pronti: macchine e uomini attendono l'ordine di partenza.

Il generale guardò il giovane: alle tempie i capelli biondi di Furio erano scoloriti in bianco. Quella era l'unica traccia del tremendo dolore: il corpo, diritto, forte, slanciato, rivelava ancora l'uomo di razza che sa, del proprio dolore, fare un'arma di battaglia e di vittoria.

Nei capannoni fervevano gli ultimi preparativi: mancavano due ore alla partenza: e come nel giorno del primo lungo volo Furio passeggiava fra galleggianti, ali ed eliche. Ancora portafortuna si celavano in un angoletto dello scafo, ancora il tenente fulvo come una pannocchia attaccava un ritrattino al cruscotto.

Furio guardò, sorrise. Il tenente aveva cambiato amore.

— Portafortuna anche questa? — domandò Furio.

— Io lo spero, comandante.

— E io glielo auguro.

Mino, silenziosamente, osservava il proprio apparecchio.

Furio si fermò, chiese:

— Tutto bene?

— Tutto.

— Vieni con me sulla linea di volo?

Uscirono. Furio infilò il braccio in quello di Mino e serenamente gli parlò:

— Questo volo è la mia salvezza. Se non avessi avuto questo impegno verso l'Italia, mi sarei lasciato vincere dal dolore. Ecco laggiú la casina di Beba. L'ho donata a Zianna. Verrà lei col fido Mustafà e rimarrà qui a far compagnia a Beba.

— E tu?

— Io ho già detto al generale che dopo questo volo mi farò mandare in colonia. C'è molto da fare laggiú!

— Mi vuoi con te?

— In colonia?

— Sí; che cosa ho, qui, che mi trattenga?

Furio aprí le braccia e, come in un giorno lontano, sulla tolda della « Pisa », baciò l'amico.

* * *

A uno a uno gli idrocorsa rossi scesero sull'acqua. Affondati al loro posto, gli occhiali abbassati sugli occhi, il caschetto chiuso attorno al viso, le mani sul volantino magico, i nove uomini, centauri meravigliosi di una nuovissima era di velocità, attendevano.

Il motoscafo, che aveva bordo il generale, s'arrestò vicino al bolide di Furio.

— Come sta, Villafranca?

— Bene, Eccellenza.

— Vuole fare un giro, solo, sulla sua casa?

— No, Eccellenza. Passeremo tutti sull'acqua che *la* custodisce. Sarà il nostro saluto.

— Posso dare il via, allora?

Il giovane alzò la mano, salutando tutto ciò che lasciava, e con voce sicura rispose:

— Signorsí!

LIALA

Amalia-Liana Cambiasi Negretti Odescalchi nasce il 31 marzo 1897 sul Lago di Como. Terminati gli studi liceali, conosce il marchese Pompeo Cambiasi, brillante ufficiale della Regia Marina, e lo sposa, benché vi siano fra i due diciotto anni di differenza. Vive a Varese, in una piccola proprietà del marito, e in quella piccola città conosce nel 1924 il marchese Vittorio Centurione Scotto, valoroso ufficiale della Regia Aeronautica. Di lui Liana si innamora perdutamente, sì da pensare a un eventuale divorzio. Ma il loro amore è breve: nel 1926, il giovane capitano pilota precipita nel Lago di Varese durante un allenamento per la Coppa Schneider per idrovolanti. Liana, disperata, vive giorni, mesi, anni malinconici e comincia a scrivere, per rivivere i giorni felici, un romanzo che parla di questo suo amore. Un amico di famiglia, un ammiraglio, presenta Liana all'editore Arnoldo Mondadori. Lei ha il coraggio di proporgli il suo libro. "L'ho scritto per non impazzire", dice all'editore che, incuriosito, accetta di pubblicare *Signorsì*. Venti giorni dopo la pubblicazione, Mondadori telegrafa, sbalordito: "Il romanzo è esaurito!" Liana diventa immediatamente celebre e D'Annunzio chiede di conoscere questa giovane scrittrice che parla con tanta competenza di aerei. Liana si reca al Vittoriale, dove il Poeta le dona una fotografia con dedica: "A Liala", perché, spiega, un'ala sta bene nel nome di una scrittrice che parla con tanto amore di aviazione. Liana diventa dunque Liala, la scrittrice più letta d'Italia. Liala ha scritto un'ottantina di titoli, fra romanzi, raccolte di novelle, racconti e ricordi della sua vita.

Appunti

Appunti

Supplemento n. 32 al periodico Tascabili Sonzogno
Registr. Tribunale di Milano n. 102 del 7/2/1989
Direttore responsabile: Ornella Robbiati
Finito di stampare nel mese di maggio 2005 presso
il Nuovo Istituto Italiano d'Arti Grafiche - Bergamo
Printed in Italy

ISBN 88-454-2093-0